ATENÇÃO! TEM GENTE
INFLUENCIANDO
SEUS FILHOS

CRIS POLI

ATENÇÃO! TEM GENTE
INFLUENCIANDO
SEUS FILHOS

Copyright © 2016 por Cris Poli
Publicado por Editora Mundo Cristão

Os textos das referências bíblicas foram extraídos da *Nova Versão Internacional* (NVI), da Biblica Inc., salvo indicação específica. Eventuais destaques nos textos bíblicos e citações em geral referem-se a grifos da autora.

Todos os direitos reservados e protegidos pela Lei 9.610, de 19/02/1998.

É expressamente proibida a reprodução total ou parcial deste livro, por quaisquer meios (eletrônicos, mecânicos, fotográficos, gravação e outros), sem prévia autorização, por escrito, da editora.

CIP-Brasil. Catalogação-na-publicação
Sindicato Nacional dos Editores de Livros, RJ

P823a

Poli, Cris
Atenção! Tem gente influenciando seus filhos / Cris Poli. - 1. ed. - São Paulo: Mundo Cristão, 2016.
128 p.; 21 cm.

1. Responsabilidade dos pais. 2. Pais e filhos. I. Título.

16-33004 CDD: 649.1
CDU: 649.1

Categoria: Família

Publicado no Brasil com todos os direitos reservados por:
Editora Mundo Cristão
Rua Antônio Carlos Tacconi, 79, São Paulo, SP, Brasil, CEP 04810-020
Telefone: (11) 2127-4147
www.mundocristao.com.br

1ª edição: setembro de 2016

Este livro é dedicado a você, papai, mamãe, que tem a incrível e abençoada responsabilidade de educar seus filhos. Ela é grande, pelo seu peso, e é abençoada porque, apesar de as crianças não virem ao mundo com um manual do usuário, Deus deixou a Bíblia, a sua Palavra viva, para que possamos saber como agir para educar nossos filhos, esse tremendo tesouro que o Criador depositou em nossas mãos.

Mas... já parou para pensar que, além de você, tem mais gente educando seus filhos, e que essas pessoas exercem uma tremenda influência em sua maneira de pensar, agir e falar? Se para você tudo isso é novo, se você nunca percebeu essa realidade nem parou para pensar em como agir diante dela, este livro é para você!

Você acabou de se tornar pai ou mãe? Este livro é para você!

Você tem filhos na primeira infância? Este livro é para você!

Você tem filhos pré-adolescentes ou adolescentes? Este livro é para você!

Você se divorciou e precisa conciliar a educação dos filhos com seu ex-cônjuge? Este livro é para você!

Você divide a educação dos filhos com seu cônjuge? Este livro é para você!

Você formou uma nova família? Este livro é para você!

Enfim, *Atenção! Tem gente influenciando seus filhos* é para você, mãe e pai, em qualquer circunstância!

Sumário

Agradecimentos — 9
Apresentação — 11
Prefácio — 13
Introdução — 17

1. Como lidar com a influência dos avós — 21
2. Como lidar com a influência de parentes — 37
3. Como lidar com a influência da escola — 49
4. Como lidar com a influência dos amigos e de suas famílias — 63
5. Como lidar com a influência de televisão, cinema, literatura, *video games* e outras mídias — 73
6. Como lidar com a influência da propaganda e outras ferramentas da sociedade de consumo — 83
7. Como lidar com a influência da Internet — 95
8. Como lidar com a influência do cônjuge discordante — 103

Conclusão — 115
Notas — 119
Sobre a autora — 121

Agradecimentos

Ao Senhor Jesus, agradeço de coração pela oportunidade que me dá de poder alcançar as famílias e ajudá-las a refletir sobre a realidade que enfrentamos na época em que temos de educar nossos filhos. Agradeço por ser canal de seu amor incondicional para cada família.

Ao meu marido, Luciano, que sempre me apoia em cada trabalho que desenvolvo.

Aos meus queridos filhos, Federico e Esteban, com suas esposas, Simone e Mila; e à minha filha, Luciana, com meu genro, Arlindo.

Aos meus netos abençoados, Felipe, Giovanna, Pedro, Raphaela e Lucca.

Minha família é o meu maior tesouro. Obrigada, Senhor!

Apresentação

Não é fácil educar um filho. De repente, chega aos seus braços um ser humano sem passado, sem formação, sem informações prévias, nada. Ali está ele, aquele bebezinho que depende de você para tudo, desde a higiene e a alimentação até a instrução e a formação de valores. A responsabilidade é grande e, muitas vezes, a falta de experiência e nossa natureza falha nos levam a cometer muitos erros. Nada que não possa ser contornado; afinal, se erramos, podemos aprender com nossos deslizes, corrigir-nos e não mais repetir o erro. Portanto, pais dispostos a se esforçar para educar da melhor maneira possível seu filho podem fazê-lo, com humildade, esforço, dedicação e empenho para aprender.

Mas... e se o erro vem de fora? E se os ensinamentos, os valores, as informações e os princípios negativos para a criança partem de alguém ou algo que está fora da sua esfera imediata de ação? Quando você descobre que a vovó está dando guloseimas não autorizadas, que o primo está incitando seu filhinho a fazer travessuras, que a escola anda transmitindo conhecimentos que não estão de acordo com o que você crê, que a Internet vem contaminando a pureza de seu pequeno ou que as propagandas da televisão estão forjando um pequenino consumista... o que fazer? Como agir? Melhor ainda: como *reagir*? Que medidas tomar para não ferir sentimentos de pessoas queridas e dialogar com quem tem um papel importante na vida da criança de modo que consiga preservar a boa educação dela?

A boa notícia é que existem caminhos. E Cris Poli mostra neste livro justamente as melhores rotas a seguir nos momentos em que você percebe influências negativas na vida de seu filho. Educadora experiente, mãe e avó com conhecimento de causa, a apresentadora do programa de TV *Supernanny* reúne bagagem teórica e prática que a gabaritam como poucos a orientar pais e mães que estejam em conflito com influências indesejáveis.

Em seu quarto livro pela Editora Mundo Cristão, Cris se firma cada vez mais como uma autora conectada com seu tempo e antenada às demandas da educação de filhos. Sem pregar a favor da animosidade contra os agentes que influenciam negativamente a criação dos pequenos — afinal, ninguém quer romper relações com a vovó só porque ela dá balas aos netos —, Cris ensina a assertividade, o diálogo e a firmeza de convicções como instrumentos indispensáveis ao cuidado com as crianças. Também dedica capítulos específicos à forma de lidar com agentes sem rosto, mas que invadem sem pedir licença a vida dos nossos filhos, como a publicidade, a moda e a mídia.

A leitura deste livro é indispensável para pais e mães que se preocupam em dar a melhor educação possível aos seus pequenos, o que inclui blindá-los de todo tipo de influência externa que esteja em desacordo com os rumos que se desejam para a vida deles. Prepare-se para aprender com uma das melhores educadoras do país a zelar por seus filhos e preservá-los dos ataques que surgem a cada passo da difícil, mas espetacular, jornada chamada vida.

Boa leitura!

Os Editores

Prefácio

Conheci Cris Poli como a maioria das pessoas que hoje a admiram: pela televisão. De repente, aquela mulher de sotaque diferente, dona de um jeito firme, mas gentil, detentora de uma sabedoria que parecia fazer mágica com as crianças, passou a entrar em nossa casa pela tela da TV e a mostrar que é, sim, possível resolver problemas aparentemente sem solução na vida dos filhos.

Na época em que ela estreou na versão brasileira do programa *Supernanny*, eu ainda não era pai, mas isso não me impedia de assistir a ela e de me encantar com sua sagacidade junto às crianças e suas famílias. O que eu fazia, na verdade, era o que eu chamava de "estocar conhecimento", para o dia em que a paternidade batesse à minha porta. E, afinal, o dia chegou.

Minha filha nasceu e, junto com ela, levei para casa a gigantesca bagagem de dúvidas e dificuldades que desaba no colo dos pais de primeira viagem. Será que estou fazendo certo? Será que estou errando? Como reagir a tal situação? Como fazer naquela outra questão? Dúvidas, dúvidas, dúvidas. E mais dúvidas. Foi quando percebi a enorme necessidade de recorrer ao meu estoque de conhecimentos, onde estavam armazenados conselhos e orientações de muitas pessoas que respeito e amo, diversas leituras sobre educação de filhos e, claro, os ensinamentos de Cris.

Não sou adepto da palmada; por isso, um dos recursos que logo pus em prática foi o do *cantinho da disciplina*. E não é que funcionava? Perceber que as dicas de Cris davam resultado fora da tela fez crescer meu respeito e minha admiração por ela e seus ensinamentos. Assim, as orientações da nossa *Supernanny* ganharam espaço cativo na criação de minha filha, como, tenho certeza, na vida de milhões de papais e mamães de todo o Brasil. Sem que ela saiba, Cris me fez companhia silenciosa, mas eficiente, em muitos momentos ao longo de meus cinco anos de paternidade.

Uma das questões que surgiram no processo de educação de minha filha (e que continuam surgindo!) é a necessidade de lidar com a influência externa. Vivi situações bem complicadas, como quando uma professora da escola a deixou apavorada ao dizer em sala de aula que o lobo mau pegaria o pé de quem estivesse sem chinelos. Minha pequena chegou em casa em pânico, chorando e praticamente implorando para que eu não andasse descalço. Esse uso do medo como instrumento de controle no ambiente escolar gerou uma situação tão grave que acabou levando-me e à minha esposa a uma reunião com a dona da escola. Ou quando as amiguinhas a ensinaram a rebolar como numa dessas danças nada recomendáveis para pessoas de família, sacudindo o bumbum de modo vulgar. Todas questões resolvidas com muito diálogo, firmeza, disciplina e amor. Ainda hoje, é uma preocupação constante buscar orientar minha filhinha e fiscalizar seu dia a dia para que a influência negativa de terceiros não cause impactos nocivos em seu desenvolvimento.

Por ter vivido na pele, por diversas vezes, o problema da influência externa sobre minha filha, não tenho nenhuma dúvida de que este livro de Cris Poli chega em um excelente momento, para me auxiliar e a milhares de pais e mães a lidar com o bombardeio de palavras, conceitos, atitudes e outras questões nocivas na vida de tantos meninos e meninas preciosos por este Brasil afora. Talvez seja um bombardeio inevitável, mas, como Cris mostra com bastante pertinência ao longo das próximas páginas, não é incontrolável, muito menos incontornável. É possível, sim, com persistência, atenção, afeto e disciplina, manter nossos herdeiros protegidos de más influências, em diferentes âmbitos e etapas de sua jornada.

Por tudo isso, senti-me extremamente honrado ao ser convidado por Cris para prefaciar *Atenção! Tem gente influenciando seus filhos*, esta excelente ferramenta de auxílio na criação dos pimpolhos. Cris Poli continua acertando na mão, com dicas, orientações e ensinamentos tão úteis para o dia a dia de pais e mães que amam e protegem suas crianças. Tenho certeza de que, assim como a leitura deste livro foi uma bênção em minha vida, também será na sua.

Obrigado, Cris, por seus ensinamentos sempre bem-vindos! Que venham muitos outros livros tão relevantes como este!

MAURÍCIO ZÁGARI
Escritor, editor, jornalista, teólogo e pai

Introdução

Nove meses passaram rápido e, de repente, ali está ele: precioso, puro e ingênuo. Desde que ouvimos o primeiro choro de nosso filho, alguma coisa muda dentro de nós. Não queremos ver lágrimas nem qualquer indício de dor naquele pequeno ser que nos traz tanta alegria. Ansiamos por criá-lo de forma excelente e protegê-lo de tudo o que possa causar-lhe dano físico ou emocional. Mas logo percebemos que a tarefa não é fácil.

Depois que sai da barriga da mamãe, o filhinho entra em contato com toda a dinâmica da vida: respirar e se alimentar sem ser pelo cordão umbilical, engatinhar, andar, conhecer amiguinhos, desenvolver a linguagem, ir para a escola, assistir à televisão, crescer, crescer e crescer. Descobrimos que não há como mantê-lo dentro de uma bolha e afastá-lo de tudo e de todos. Não! Ele precisa viver! E viver significa aprender a interagir com o mundo, com as pessoas ao redor e com as mensagens que circulam nesse ambiente.

O problema é que nem sempre essa interação está imune a influências negativas. Há pessoas e mensagens que podem — mesmo inconscientemente — prejudicar o saudável crescimento da criança, seja no aspecto físico, seja no mental, seja no emocional, seja no espiritual. Por outro lado, viver em sociedade é uma das experiências mais gratificantes que um indivíduo pode ter, além de ser uma necessidade. É nessa interação que ele conhece o outro, troca ideias, expõe pontos de vista, torna-se gente ativa, porta-se de modo digno em um mundo carente de virtudes. Esse, obviamente, é o desejo de todo pai e de toda mãe. Quem não gostaria de munir seu filho com força de caráter e habilidade tal de modo a fazê-lo permanecer firme diante das mensagens negativas do cotidiano? Que pai e mãe não gostariam de ajudá-lo a ser feliz, decidido e honesto? Diante de tantas influências externas, que rivalizam com o ideal de educação que sonhamos para as crianças, é preciso identificar as influências negativas e dar um basta em todo o transtorno que provocam.

Escrevi este livro com o intuito de ajudar você, papai ou mamãe, a conhecer a melhor maneira de impedir a influência negativa de terceiros na educação das crianças e, consequentemente, na saúde da família. É grande o número de pais, por exemplo, que sofrem em razão da intromissão de pessoas com quem as crianças são obrigadas a se relacionar, como avós, amigos ou professores, que, muitas vezes, nutrem valores diferentes ou têm uma visão de mundo com a qual não se concorda. Há, ainda, pais que anseiam por conseguir identificar com clareza possíveis sinais de alerta, que podem indicar problemas no convívio escolar, angústias ou carências diversas.

Há pessoas e mensagens que podem — mesmo inconscientemente — prejudicar o saudável crescimento da criança, seja no aspecto físico, seja no mental, seja no emocional, seja no espiritual.

São muitos, também, os casais que vivem crises intermináveis porque não entram em acordo sobre como levar adiante a criação do filho, educado em dois lares diferentes ou num mesmo ambiente onde opiniões distintas se chocam. Se existem múltiplas possibilidades de influências negativas na educação e no desenvolvimento da criança, também há diversas possibilidades de solução. Portanto, independentemente de qual seja sua situação, saiba que há esperança, mediante atitudes que você pode tomar.

Para contemplar cada uma dessas realidades, dividi o livro em oito capítulos, cada um sobre um dos principais tipos de agentes que interferem na educação dos filhos. Ao longo da leitura, você encontrará dicas e estratégias baseadas em mais de quarenta anos de experiência na área da educação infantil, com informações que o ajudarão a identificar quem ou quais são as más influências a que seu filho pode estar submetido e a criar um plano de ação efetivo para resolver o problema. Além disso, considerei importante mencionar, ao final de cada capítulo, histórias reais de famílias que experimentaram sucesso ou fracasso no quesito abordado, o que lhe permitirá avaliar suas próprias atitudes, mediante a análise de relatos verídicos.

Meu desejo é que você, papai ou mamãe, biológico ou do coração, encontre auxílio, encorajamento, direção e esperança nas páginas deste livro. Que ele lhe sirva como um manual para ser usado enquanto cumpre a sublime missão que foi confiada a você pelo Criador, segundo registrou o sábio Salomão na Bíblia: "Instrua a criança segundo os objetivos que você tem para ela, e mesmo com o passar dos anos não se desviará deles" (Pv 22.6). Criar um filho não é fácil, mas é extremamente gratificante. E o fato de estar com este livro em mãos já é um indício de que você quer desempenhar o seu papel com excelência. Tenho certeza de que conseguirá.

Como lidar com a influência dos avós

Tenho uma família grande. Sou mãe de três filhos e avó de cinco netos, esses com idade entre 3 e 18 anos. Minha ampla experiência pessoal e profissional como educadora me deixa à vontade para abordar os problemas mais frequentes que os avós podem trazer para a educação dos netos e, mais especificamente, o impacto negativo da interferência indevida deles na dinâmica familiar. Neste ponto, é preciso frisar que o contato e a contribuição dos avós é muito importante. No entanto, saber lidar com esse laço familiar é fundamental para que ele seja construtivo para todos.

Todo avô ou toda avó foi, primeiro, pai ou mãe, com uma maneira própria de educar os filhos — ainda por cima, em outro tempo. Os avós, obviamente, tinham não só menos idade, como também menos experiência na época em que foram pais. Também eles foram marinheiros de primeira viagem e tiveram de aprender na prática a lidar com a nova situação. Entre erros e acertos, conseguiram educar os filhos e, agora, são pessoas mais calejadas, que sabem praticamente todos os possíveis problemas que os netos podem enfrentar. Já percorreram uma boa distância no que diz respeito a ter a vida de um filho sob sua responsabilidade.

No momento em que alguém se torna avô ou avó, já possui bastante conhecimento e acaba por dar-se o direito de interferir na educação dos netos. Mas isso nem sempre é positivo, pois cada um deve fazer a própria viagem, aprender pela experiência, e os avós não podem privar os filhos desse privilégio. Da mesma forma, não podem se esquecer de que o filho tem um cônjuge, que, por sua vez, possui uma história de vida particular e ideias próprias acerca de educação e convivência familiar. Por isso, muito provavelmente as atitudes do genro ou da nora serão diferentes das dos filhos.

Diante disso, o casal que está sentindo uma interferência negativa dos avós na criação dos filhos deve agir com sabedoria para compreender quais fatores explicam esse comportamento, tais como o estado emocional dos avós, o apego deles aos netos e o tipo de relacionamento com as noras e os genros. Feita uma análise cuidadosa da situação, é preciso partir para o diálogo, mesmo que, às vezes, isso pareça difícil. É possível que avós sejam intransigentes, mandões e autoritários ou se achem no direito de dar palpites o tempo todo. Mas isso não pode intimidar você e seu cônjuge. Ficar refém de um estado de estresse emocional não funciona. A melhor forma de colocar as coisas no lugar é enfrentar a situação, por meio de uma boa conversa.

Não quero assustá-lo, mas é importante deixar claro que, com frequência, o estabelecimento de limites vai magoar os avós. Afinal, eles amam os netos, e a intenção deles é realmente colaborar. O problema é que, muitas vezes, essa vontade de ajudar acaba atrapalhando. Para evitar mágoas e ressentimentos, estabeleça um diálogo de amizade e compreensão. Esse pode ser o caminho mais coerente e eficaz para conectar-se a eles e transmitir-lhes o seu ponto de vista. É fundamental, porém, ter tato, carinho e extremo cuidado ao expor sua posição. A conversa deve ser gentil e acontecer da forma mais delicada possível. Seja claro, mas sem perder de vista a pessoa com quem você está falando. Os avós não são descartáveis; podem apenas estar precisando de ajuda para que compreendam seu novo papel na estrutura familiar.

> *Para evitar mágoas e ressentimentos, estabeleça um diálogo de amizade e compreensão.*

Genros e noras não são as pessoas mais indicadas para dar esse tipo de *feedback* ao sogro ou à sogra. O melhor é que o diálogo se dê entre pais e filhos, pois são mais íntimos e possuem um vínculo mais forte. Diante de alguma resistência, procure manter a calma e tome cuidado para não perder a razão; não grite ou diga algo do qual venha a se arrepender depois. Jamais agrida verbalmente e, muito menos, fisicamente. Saiba gerenciar sentimentos: os seus, os dos avós e os dos filhos.

As crianças estão no meio de tudo isso e até os pequeninos são capazes de perceber quando há discordância entre pais e avós na forma de educar. Como a criança sempre se inclinará para o lado que lhe convém, deixe claro que vocês são os pais e, portanto, as pessoas que definem as regras e os limites. Elas notam com facilidade quando há conflitos de autoridade e divergências de opinião entre os responsáveis. Isso acontece, por exemplo, quando um adulto lhe transmite uma ordem e o outro o desautoriza. Esse tipo de comportamento é extremamente negativo. Jamais retire a autoridade de seu cônjuge ou dos avós na frente delas. Façam um acordo e acertem os ponteiros para que as crianças possam ver unidade na postura de vocês. Esse esforço tem de ser feito, para o bem de seus filhos. Toda desautorização dos adultos na frente deles é negativa.

No caso de discordância entre pais e avós, deve prevalecer a opinião dos pais. Se não for possível chegar a um consenso, os avós devem apoiar os pais, que são os responsáveis legítimos pela criança. É certo que os avós querem sempre o melhor para os netos e desejam evitar que erros sejam cometidos ou que alguém se machuque. Mas, quando houver divergências, precisam ficar em silêncio e deixar que os pais tomem a decisão que julguem ser a mais adequada, mesmo que errem. E eles erram!

Pode ser que, ao perceber que cometeram um equívoco, os pais reconheçam que os avós estavam certos. O aprendizado ocorre assim, na base do erro e do acerto. Na próxima situação, pais inteligentes pedirão a opinião dos avós antes de tomar uma decisão.

Mas, se isso não acontecer, os avós precisam manter-se em sua devida posição, para que os pais amadureçam e se desenvolvam na sublime missão de criar filhos.

Limites

É comum que os pais não saibam com exatidão qual é o melhor momento para dialogar com os avós a fim de estabelecer os limites. Seria antes de o filho nascer ou depois? Nessas situações, é bom esperar para ver o que acontece e como os avós vão se comportar em relação ao bebê e às diferentes situações que logo se apresentarão. Caso se estabeleçam restrições antes disso, corre-se o risco de agir por precipitação e criar tensão sobre algo que talvez nem mesmo venha a acontecer. O melhor é aguardar para ver quais serão as atitudes dos avós.

Já no caso de pais que tiveram um primeiro filho e sentiram muita interferência negativa dos avós — palpites excessivos, desautorizações e situações de conflito, por exemplo —, o melhor é estabelecer as regras do jogo antes que o outro filho nasça. Se a conversa não der resultado, evite que a situação se estenda. De forma assertiva, imponha limites aos avós e, com isso, impeça que a insistência e a teimosia deles prevaleçam. Se a situação ficar um pouco mais estressante, com muita discordância e brigas, agradeça pela ajuda, mas deixe claro que você e seu cônjuge são os responsáveis pela educação dos filhos e, por isso, agirão de maneira diferente dali em diante. O importante é explicitar que não desejam que a interferência dos avós se dê de forma tão intensa.

Muitos pais permitem que uma situação indesejada se estenda por receio de magoar o interlocutor. O problema é que, por não se posicionarem firmemente, nunca resolvem de vez a questão. Se você sofre com isso, busque desenvolver a assertividade em sua vida diária, ou seja, aprimore a capacidade de se expressar de forma transparente e honesta; de ser direto e objetivo sem ser mal-educado, rude ou arrogante. Pessoas assertivas conseguem resolver problemas por meio de uma conversa madura e respeitosa.

Geralmente, a assertividade vem acompanhada de autenticidade e credibilidade.

Não é raro encontrar crianças que passam o dia inteiro com os avós, o que pode ocorrer por diversos motivos: os pais trabalham fora, a mãe é solteira, o casal é divorciado, entre outras circunstâncias. Além de ser usual, essa situação pode trazer muitos conflitos.

Uma coisa é ficar com os avós de vez em quando, em razão de um compromisso eventual dos pais, por exemplo. Outra, totalmente diferente, é conviver diariamente com eles, porque aí os avós passam a fazer parte da rotina da criança; uma rotina, aliás, que pode tornar-se muito pesada para os avós.

Deus é sábio e criou o ser humano com um período da vida especialmente propício à paternidade, pois, quando somos mais jovens, a força física, a paciência e a disposição dão conta de acompanhar a agitação natural das crianças. Quando chegamos à idade de ser avós, já não temos toda a energia que tínhamos. Trata-se de outra fase da vida, que, por sinal, é muito boa. Estar com os netos é sensacional, é uma das melhores experiências que um ser humano pode ter. Mas um avô ou uma avó precisam de descanso e momentos de tranquilidade, para ler um livro, assistir à televisão ou tirar uma soneca. Esse tempo dedicado para recompor as forças é importante para a saúde de qualquer pessoa, quanto mais para os que vivem os dias da maturidade. No entanto, isso não é possível quando os netos estão presentes em tempo integral no dia a dia e os avós precisam tomar conta deles. Como os mais velhos não têm tanto pique para brincar com as crianças e dar a atenção que elas exigem, a paciência acaba e eles ficam frustrados.

No começo, tudo é bom, mas, à medida que o tempo passa, surgem os problemas, como quando a criança fica doente ou manhosa, às vezes sem vontade de brincar, comer ou tomar banho. Quando os avós estão encarregados de tomar todas as iniciativas, a boa vontade pode ceder lugar ao abatimento e ao cansaço — é o que frequentemente acontece. É preciso entender que os avós são colaboradores, mas têm suas limitações.

A decisão de deixar os filhos o dia inteiro com os avós deve ser apoiada por todos. Os pais precisam ter sensibilidade para perceber se os avós estão fazendo o favor porque querem ou porque se sentem obrigados ou constrangidos. É necessário que todos sejam realistas e prestem atenção se eles estão física e emocionalmente preparados para tão grande tarefa.

Estar com os netos é sensacional, é uma das melhores experiências que um ser humano pode ter. Mas um avô ou uma avó precisam de descanso e momentos de tranquilidade.

Os pais devem ter a exata noção de quanto a rotina dos avós será afetada pelo fato de terem de cuidar das crianças o dia inteiro. O dia a dia das crianças precisa ser muito bem organizado enquanto elas estiverem na casa dos avós. É imprescindível que o diálogo seja franco e aberto e que os pais transmitam aos filhos as regras de conduta que deverão ser seguidas enquanto estiverem lá. Essa conversa tem de acontecer mesmo que os filhos sejam pequenos. Os pais supõem que as crianças pequenas não compreendem, mas elas entendem, sim, e muito mais do que se imagina! Às vezes, elas não se comportam e não obedecem simplesmente porque não querem.

Já quando as crianças vão dormir na casa dos avós por uma quebra na rotina dos pais, a situação é diferente, pois não é algo diário ou rotineiro. Uma ocasião esporádica como essa pode se transformar em um momento de relaxamento e alegria. É uma oportunidade para que avós e netos se curtam e, talvez, cometam extravagâncias. Isso é bastante normal e divertido para os dois lados: para os netos, que esperam esse momento para relaxar um pouco das regras e orientações mais rígidas, e para os avós, que querem curtir os netos de maneira diferente e exclusiva.

Meu neto de 10 anos, por exemplo, gosta muito de *pizza* e, toda vez que vai dormir em minha casa, quer comer seu prato favorito. Ele já vai predisposto a isso. Claro que, no dia a dia da casa dos pais, ele tem uma alimentação muito mais adequada e equilibrada, mas, quando o pequeno vai à minha casa, quer saborear uma guloseima. Ele também ama assistir à televisão com o avô e, quando chega em casa, já pede para meu esposo colocar determinado filme a que gostam de assistir juntos. É uma espécie de associação emocional entre ele, o avô e o filme. Além disso, meu netinho também gosta muito de dormir conosco, e podemos permitir essas pequenas vontades, pois são eventuais. É uma experiência diferente que faz desse tempo com os avós um momento especial para ele. Essas pequenas extravagâncias não afetam em absolutamente nada a rotina e os hábitos dele, pois a educação que os pais lhe dão é muito mais forte em relação àquilo que ele experimenta quando dorme em nossa casa.

É claro que, se houver necessidade de algum cuidado especial — uma dieta médica, restrição alimentar ou problema de saúde —, os avós não devem dar chocolate, *pizza* ou qualquer outro alimento que ponha a criança em risco. É uma questão de bom senso. Se não houver casos especiais como esses, não há problema de a criança comer algo diferente e fazer coisas não habituais que sejam divertidas.

Você se lembra daquela receita que só a sua avó sabia fazer? Seria muito ruim se os seus pais o proibissem de prová-la, não é mesmo? Portanto, não seja tão radical se a situação não forçá-lo a isso. Quando eu era pequena, minha avó paterna sempre fazia panetones caseiros. Eu nunca gostei daqueles recheados com frutas cristalizadas. Para realizar um gosto da netinha, minha avó não apenas preparava o panetone normal, mas, também, um exclusivo para mim, com uma receita diferente que não pedia aquele tipo de recheio. O resultado dessa atitude foi uma infância feliz e um monte de boas recordações.

Essas ocasiões esporádicas com os avós são saudáveis e não têm nada de mais; pelo contrário, são vivências tão gostosas que ficam marcadas para a vida inteira. Os pais não deveriam ficar bravos por causa disso.

Formadores de opinião e caráter

Um adulto jamais deve dizer algo como "Vamos fazer isso, mas não conte para a mamãe"; "Vamos esconder tal coisa de seu pai"; "Vamos fazer desse jeito, mas é nosso segredo, não conte nada para mamãe ou papai"; ou "Eu deixo você fazer aquilo se não contar nada para seus pais". Esse tipo de comportamento não é positivo de jeito nenhum! Não é bom inculcar na criança a ideia de que é natural ou recompensador fazer escondido algo que os pais desaprovam. Lembre-se, sempre: a criança entende e capta as mensagens que estão no ar, e o tempo todo você está transmitindo valores e princípios que formam o caráter dela. Formá-la na mentira, na falsidade ou na deslealdade não é de longe algo digno de aplauso.

Quando instigamos a criança a ter uma atitude desrespeitosa, mesmo em segredo, estamos prejudicando a formação da integridade, do caráter e de uma autoestima fundamentada em princípios e valores sólidos, como a transparência, a honestidade, a fidelidade, a colaboração e todos os outros traços de boa conduta. Somos formadores de opinião e de caráter. Tanto o comportamento dos pais como o dos avós fazem parte do referencial de conduta que as crianças vão adquirindo à medida que crescem, por isso é preciso dar bom exemplo por meio de ações e palavras, para que valores cristalinos permaneçam na memória e no coração deles.

Tenho muitas lembranças dos meus avós, do que eles falavam, dos olhares, abraços e beijos, e do bom testemunho de vida que davam. Essas são marcas que eles deixaram em mim e que até hoje reverberam. Da mesma forma, quero deixar marcas positivas na vida dos meus netos. Sei que aquilo que faço diante deles é o que determina como será meu legado, se positivo ou negativo. Precisamos viver de modo que valores como respeito e responsabilidade fluam e sejam facilmente percebidos por eles na rotina diária. Entre esses valores, destaco o amor. Se recebemos o amor de Cristo em nossa vida e nos sentimos amados por Deus, podemos transbordá-lo para todos aqueles que estão ao nosso redor.

Em casos extremos, quando os pais descobrem que os avós persistem em fazer algo com que não concordam, apesar de já terem conversado e tentado de tudo, podem cogitar evitar que as crianças frequentem a casa deles, embora essa seja uma situação bastante incomum. Em geral, a minha orientação aos pais é que tentem acertar qualquer situação que possa impedir que familiares passem momentos juntos. A convivência entre avós e netos é muito importante, inclusive para a saúde emocional do ser humano de maneira geral. Apenas evite que seus filhos frequentem a casa dos avós quando houver violência, agressão física ou verbal ou diante de algum fato mais sério.

Se o seu filho demonstra algum receio ou má vontade de ir à casa deles, mesmo acompanhado por você, converse de forma tranquila e busque entender o que está acontecendo. Talvez não seja nada preocupante. Pode ser que ele não goste do cachorro da casa, ou que prefira ficar em casa brincando com um amiguinho ou jogando *video game*. Nesses casos, crie oportunidades e encontre alguma maneira de fazer que seu filho sinta-se motivado a ir para a casa dos avós. Um agrado, um abraço caloroso da vovó e do vovô ou uma brincadeira podem resolver a situação.

> *Minha orientação aos pais é que tentem acertar qualquer situação que possa impedir que familiares passem momentos juntos.*

É possível também que a criança tenha ficado magoada por alguma atitude dos avós. Numa situação assim, converse com a criança com calma, sem ficar bravo, sem forçar e sem bater, com o intuito de descobrir o que aconteceu. Fale com os avós também, pois talvez se recordem do que pode ter causado esse distanciamento.

Pode ocorrer, ainda, que a criança relate ter ouvido os avós contradizerem ou desautorizarem os pais. Essa postura é extremamente prejudicial, pois afeta a autoridade dos pais, a submissão e a obediência das crianças e a harmonia familiar. Você deve cortar essa atitude dos avós pela raiz, com uma conversa firme e objetiva. Os avós não podem interferir na forma como os pais disciplinam seus filhos, exceto em casos em que percebam algo abusivo, como agressões, xingamentos e hostilidade. Numa situação normal, podem opinar, conversar, orientar e compartilhar a experiência que possuem; interferir, não!

Algo que pode acontecer é, por exemplo, os avós serem adeptos das palmadas como forma de disciplina, enquanto você jamais faria isso. Se você educa os filhos sem bater, os avós precisam respeitar sua decisão. O ponto aqui não tem a ver com a forma de educar em si, mas, sim, com a questão da autoridade. Como já dissemos, a opinião dos pais deve sempre prevalecer.

Vale ressaltar que existem formas de disciplinar uma criança que não seja a agressão física. Nesse caso, sugiro a técnica do *cantinho da disciplina*. Para aplicá-la, defina regras simples e claras, adequadas à idade de seu filho. Explique a ele a importância dessas normas e estabeleça um pacto de obediência. Na primeira desobediência a uma regra, advirta-o. Esse é um aviso para que a criança tenha a oportunidade de mudar de comportamento sem ser disciplinada. Se uma segunda desobediência da mesma regra acontecer, seu filho precisará ficar em um lugar preestabelecido (o cantinho da disciplina). Deixe-o permanecer ali por um tempo proporcional à idade: um minuto para cada ano de vida. Terminado o período, pergunte se ele sabe por que está ali. Assim que a criança reconhecer o motivo, estimule-a a pedir desculpas. Para finalizar, dê-lhe um beijo e um abraço, acompanhados de um "eu te amo". Essa estratégia é bastante eficaz.

A criança precisa entender claramente as regras estabelecidas pelos pais. Ela não tem o mesmo repertório de um adulto e não interpreta o mundo como uma pessoa madura. Sempre que você criar uma regra em casa, tenha em mente que precisará explicá-la de forma inteligível a seu filho. Verifique se é uma norma razoável e se surtirá influência positiva na vida dele. Confira se ele a compreendeu e, só depois, exija obediência.

Algumas perguntas úteis podem ajudá-lo na hora de avaliar e definir quais regras serão estabelecidas para os seus filhos:

- A regra evita que seu filho corra algum perigo ou se destrua?
- A regra ensina a seu filho algum traço de caráter positivo, como o valor da honestidade, do trabalho, da gentileza e da generosidade?
- A regra protege a propriedade?
- A regra ensina seu filho a cuidar das coisas que possui?
- A regra oferece alguma lição sobre responsabilidade?
- A regra ensina boas maneiras?[1]

Ao definir as regras, em parceria com o seu cônjuge, comunique-as a seus filhos. Caso sejam desobedecidas, aplique a técnica do cantinho da disciplina. Mesmo que seja difícil num primeiro momento, você logo perceberá os benefícios desse esforço.

O melhor caminho

Pais e avós têm de dialogar acerca da disciplina das crianças. Essa troca é bastante benéfica para todos os envolvidos. É evidente que os avós têm muita experiência para compartilhar e é bom dar-lhes atenção. Antigamente, os mais velhos eram tidos em grande consideração por conta da história e do legado que construíram; hoje, infelizmente, a sociedade parece estar pronta a descartá-los. Não podemos concordar com isso. As vivências, os problemas enfrentados, as soluções encontradas, os erros, as vitórias e os aprendizados que tiveram são uma bagagem valiosa a ser transmitida aos mais novos. Aprender com os mais velhos é uma atitude sábia.

Paulo, apóstolo de Jesus, escreveu na Bíblia que as mulheres de mais idade devem instruir as mais jovens (Tt 2.3-5). Isso é recomendável porque, ao longo do tempo, as mais velhas de forma geral acumularam experiência que as tornou aptas para dar instrução e aconselhamento. Naturalmente, esse princípio também vale para os homens.

Portanto, pai e mãe, sejam sábios e aprendam com quem tem experiência. Você não precisa concordar com tudo que seus pais ou sogros dizem, mas pode escutá-los e desfrutar da rica vivência deles para ampliar a sua visão, em conversas realizadas longe das crianças. Quando houver algum atrito de opinião mais significativo entre você, seu cônjuge e os avós, tenha o cuidado de não falar mal um do outro na frente de seus filhos ou para eles. Isso é péssimo. As crianças estão vinculadas emocionalmente a vocês e detectam qualquer atitude hostil que acontece.

Você vai perceber que não são poucas as situações com grande potencial para deflagrar conflitos entre pais e avós. Por exemplo, no que se refere a monitorar o tempo em que as crianças ficam ocupadas com recursos tecnológicos. Hoje, existem tantas opções de entretenimento que, se não for tomado o devido cuidado, os pequenos passam o dia inteiro imersos no celular, na Internet, na televisão, no computador, no *video game* e similares. Essa é uma questão séria em nossos dias e complicada, pois a sua forma de lidar e de compreender essas ferramentas possivelmente é bem diferente do modo como seus pais e sogros lidam e compreendem. Crianças precisam de relacionamento interpessoal e de socialização; precisam correr, conversar e brincar com outros amiguinhos, o que não acontece se passam o dia inteiro diante de uma tela de computador.

> *Você não precisa concordar com tudo que seus pais ou sogros dizem, mas pode escutá-los e desfrutar da rica vivência deles.*

Quando a criança fica presa dentro de casa o dia inteiro sem a devida interação com outras pessoas, tende ao individualismo e pode ser prejudicada em seu desenvolvimento emocional. Isso não quer dizer que você não deva deixar seu filho usar ferramentas digitais, mas, sim, fazê-lo com equilíbrio, supervisão e bom senso. E as regras que prevalecem em relação às novas tecnologias precisam ser transmitidas aos avós, que tendem ou a proibir o uso ou a liberar a utilização de forma descontrolada. Não é porque as crianças ficam na casa deles que permanecerão o tempo todo na frente da televisão, do computador ou do *video game*. Se na sua casa há uma rotina para usar todas essas novas tecnologias, assim também deve acontecer na casa dos avós.

Mas fique atento: às vezes, as crianças podem enganar os avós, reportando-lhes regras que não são totalmente verdadeiras, aproveitando-se assim da falta de conhecimento deles para fazer lá o que não têm permissão para fazer em casa, com os pais. Lembro-me de um episódio com meu neto que ilustra bem o que quero dizer. Houve uma época em que ele vinha à minha casa e ficava para dormir.

No dia seguinte, tomava o café da manhã com meu esposo e comigo. Eu lhe servia o café com leite numa xícara e ele me pedia um canudinho para tomá-lo. Numa dessas ocasiões, eu lhe perguntei por que usava canudo. Ele respondeu, dizendo que era assim que tomava a bebida em casa. Naturalmente, concordei e, sempre que meu netinho me visitava, eu colocava o canudinho para ele tomar o café com leite. Até que, em determinado dia, quando aconteceu de o pai e a mãe dele estarem presentes na hora do café, eu lhe dei o canudinho e fui imediatamente repreendida por meu filho e por minha nora. Eles queriam saber *por que eu tinha tomado aquela atitude*. Eu respondi, explicando que ele me havia dito que usava canudos em casa. Foi quando descobri que a informação não era verdadeira, mas, como eu não sabia disso, ele acabou se aproveitando de minha ignorância.

É muito comum que esse tipo de travessura aconteça. Então, para prevenir que os avós sejam "enganados", inclusive no que se refere ao uso e ao tempo dedicado às novas tecnologias, dê uma mãozinha a eles e defina as regras do jogo.

Em poucas palavras

- Avós não devem interferir na educação dos netos.
- Você e seu cônjuge é que devem estabelecer os limites aos seus respectivos pais em relação à interferência na educação das crianças. Não deixe que seu cônjuge trate com os seus pais, nem trate com os pais dele.
- Jamais desautorize outro adulto na frente das crianças. Façam um acordo mútuo em lugar afastado e demonstrem firmeza e unidade diante delas.
- Caso seus filhos passem o dia inteiro com os avós, organize a rotina e as regras que as crianças e os avós deverão seguir em sua ausência.
- Diante de divergências sobre a educação das crianças, a opinião dos pais tem de prevalecer.

Atitude correta

Conheci um casal com dois filhos que sofria porque uma das avós interferia muito na educação dos netos e palpitava demais em relação às atitudes da mãe. Ela visitava a filha todos os dias e se encarregava das tarefas da casa, além de discordar de tudo — nada estava bom ou correto. A situação chegou a tal ponto que precisei intervir. Conversei com aquela avó, falei que ela precisava deixar a filha ter a própria experiência e lhe impus alguns limites. Aquela senhora ficou muito brava comigo e, claro, com a filha, porque a jovem concordava com as diretrizes que eu estava transmitindo. Por isso, acabou afastando-se da casa da filha e passou um período sem visitá-la. Creio que, depois de um tempo, deve ter refletido acerca da nossa conversa, pois voltou a frequentar a casa da filha e ajudá-la no que precisasse, sem, no entanto, interferir da forma invasiva de antes. A filha teve a oportunidade de tomar as rédeas de seu lar e aprender a exercer o papel de mãe, de forma livre e independente.

Atitude errada

Atendi um casal que tinha três filhos: uma criança mais velha e gêmeos muito bagunceiros. Nem a mãe tinha o controle da situação, nem a avó, que ficava na casa o dia inteiro. Quando comecei a observar a situação calamitosa daquele lar, vi que a interferência da avó era muito grande, pois ela não deixava a mãe tomar nenhuma atitude em relação aos filhos. Conversei diretamente com ela e lhe pedi para ficar em sua casa enquanto eu trabalhava com a filha e os netos. No entanto, aquela senhora se fez de desentendida e achou que eu estava brincando. Por isso, precisei lhe dizer com firmeza que estava falando sério e que sua interferência era negativa na educação das crianças e no trabalho que eu queria realizar. Ela reagiu negativamente e acabou se afastando. Rompeu o relacionamento com a filha, porque a jovem mãe apoiava o que eu estava fazendo, principalmente na maneira de lidar com os filhos e com a organização da casa.

Esse é um exemplo de pessoa que não compreendeu seu papel e não aceitou a boa repreensão, pois permitiu que o orgulho e o ressentimento esfriassem o relacionamento familiar. Mas... eu não quis deixar esse distanciamento entre mãe e filha prevalecer, uma vez que isso também prejudicava as crianças. Assim, propus um método em que cada uma pudesse expressar o que sentia, em que concordava ou discordava da outra. Feito o acordo, houve pedido de perdão e a paz retornou ao lar.

2
Como lidar com a influência de parentes

Toda quebra na rotina de uma família tende a ser negativa, como quando há parentes que vivem dentro da sua casa, terceiros que se intrometem em assuntos que dizem respeito somente ao marido e à mulher, além de brigas e outros problemas comportamentais e, é claro, situações que envolvem a interferência na criação dos filhos. Por isso, antes de tudo, procure perceber como está a saúde do seu relacionamento com seus familiares e observe se a influência deles está sendo positiva ou negativa em seu lar.

É claro que a companhia de tios, primos, cunhados e outros parentes é importante. Uma família unida é a base para o crescimento saudável de qualquer ser humano e faz bem para o coração e a mente. Não é à toa que a Bíblia diz que é bom e agradável que convivamos em união (Sl 133.1). É fundamental, porém, saber como proceder diante dessa convivência de modo salutar para todos, estabelecendo limites para os parentes e lidando da melhor forma possível com situações conflitantes no que se refere à interferência na educação de seus filhos.

Como disse certo autor desconhecido, "Não podemos escolher nossos parentes, mas podemos escolher nossos pensamentos, que nos influenciam muito mais".[1] As diretrizes que compartilho neste capítulo vão ajudá-lo a ter pensamentos corretos e atitudes apropriadas para lidar com qualquer situação que envolva seus parentes e seus filhos na agitada dinâmica que é viver em família.

Em linhas gerais, os tipos de interferência que ocorrem da parte de parentes são praticamente os mesmos que os dos avós: palpites na hora errada, desautorizações na frente das crianças, muita gente querendo mandar e impor autoridade. É preciso deixar claro que em uma família existem apenas duas autoridades: o pai e a mãe. Ninguém mais deve se intrometer. Apenas pai e mãe impõem o ritmo, dão as orientações e têm a última palavra. Obviamente, eles não são sempre os donos da razão e, como todo ser humano, precisam de conselhos, diretrizes e críticas para se desenvolverem e se aperfeiçoarem. Se você, pai ou mãe, receber alguma sugestão ou dica de um parente, converse com ele em um local separado, longe das crianças. Escute-o com atenção e reflita para ver se ele não está certo. E pode ser que realmente esteja!

Assim como você deve ter certeza acerca daquilo que faz em seu trabalho, também é preciso que tenha convicção em relação às medidas que está tomando com seus filhos. Quando está atento à sua forma de proceder, você escuta pessoas mais experientes, lê bons livros, é diligente e age com mais consistência — e essa postura transparece para todos que estão ao seu redor, inclusive para as crianças.

É preciso deixar claro que em uma família existem apenas duas autoridades: o pai e a mãe. Ninguém mais deve se intrometer.

É importante para o filho ver que os pais se posicionam com autoridade e convicção daquilo que estão falando e fazendo. Quando pai e mãe demonstram essa postura e agem em unidade, sem desautorizar um ao outro, o filho tem um referencial sólido que não é quebrado facilmente. Ele pode até pensar ou achar que a opinião do tio ou do parente é melhor porque lhe convém, mas, se vê o pai e a mãe agirem de forma consistente, não se deixará levar por qualquer embaraço, pois sabe a quem deve obedecer.

Você é líder em sua casa e está imbuído de autoridade legítima, por isso deve exercê-la com firmeza, sem deixar de ser justo.

Somente dessa forma conseguirá transmitir a sua mensagem não apenas aos seus filhos, mas aos parentes também. Se você é pai ou mãe, tenha convicção de seu papel e posicione-se corajosamente, sem temer falatórios ou reações contrárias. Não se omita por medo de discutir ou de romper relacionamentos. O mais importante é a sua atitude em relação à educação de seus filhos. E, se alguém ficar melindrado porque você expôs aquilo que acredita ser o melhor para sua família, terá de resolver isso consigo mesmo. A possibilidade de atrito sempre existe, e é provável que o parente fique magoado após receber uma chamada de atenção, mas essa pessoa precisa reconhecer que não é a responsável pela educação da criança.

É claro que não podemos deixar que um estado de inimizade e de amargura se instaure na família. Em casos de mal-estar provocado por um eventual desentendimento, o melhor a fazer é conversar com quem foi repreendido, mas só depois de fazer valer suas decisões, dar as ordens e disciplinar seus filhos de maneira correta. Caso você e algum familiar tenham sido rudes e grosseiros um com o outro, peçam desculpas mutuamente e se esforcem para manter a paz e o entendimento.

Diferentemente do caso dos avós, em que os mais indicados para tratar da interferência na educação das crianças são os filhos, no caso dos parentes tanto o pai como a mãe podem conversar com a pessoa em questão — obviamente, de maneira civilizada, respeitosa e adulta, sem agressões nem gritaria. Somente pessoas imaturas ou crianças não têm controle emocional suficiente para sustentar um diálogo de forma equilibrada e, por essa razão, acabam sempre levando a discussão às vias de fato, usando de violência e intimidação. Aprenda a impor respeito não pelo uso da força, mas por sua liderança coerente e bem ajustada.

O irmão

Um caso específico merece nossa atenção: se o parente que está causando problema for o próprio irmão da criança. Nesse caso, a situação é outra, pois ele está sob a mesma autoridade: a dos pais. Se ocorrer qualquer embate em razão da má influência de um irmão, aja de acordo com seu papel e coloque-o nos trilhos. Toda influência negativa deve ser cortada assim que for diagnosticada. Nunca protele essa decisão, em especial se a postura ruim partir de dentro da própria casa.

Muitos atritos, birras e confusões com irmãos podem ser resultado de ciúmes e algum tipo de ressentimento. Os pais devem prestar atenção se, depois que a mãe ficou grávida ou que o novo irmãozinho chegou, o mais velho não foi desprezado ou está se sentindo sozinho e excluído.

É normal que parte do tempo que era dedicado ao irmão mais velho seja dedicado aos preparativos da recepção do novo membro da família. Isso é normal e você não precisa sentir-se culpado por isso. O importante é que o mais velho não seja posto em segundo plano. Integre-o aos preparativos e faça-o perceber que é importante e querido. Converse bastante com ele e ensine-o a agir com o bebê. Deixe-o a par de mudanças que acontecerão, como os novos horários de dormir e brincar, a importância do silêncio enquanto o pequeno estiver dormindo e quaisquer outras alterações na rotina da família. Enfim, estabeleça regrinhas de convivência para que tudo transcorra de maneira normal, tranquila e agradável, de modo que a participação de todos nessa nova experiência seja garantida. Tudo isso precisa ser feito com muito tato e bom senso, para que não haja má interpretação por parte dos irmãos mais velhos, principalmente por causa das novas normas impostas em decorrência do nascimento do bebê. Por outro lado, também é preciso ser firme e não relaxar, pois as crianças precisam aprender a se comportar e interagir dentro da nova dinâmica.

Na casa dos parentes

Se, por alguma razão, seus filhos precisam ficar na casa dos parentes o dia inteiro, siga as mesmas orientações que dei com relação aos avós. Sempre tenha em mente que os parentes estão dispostos a colaborar e a oferecer-lhe uma grande ajuda, pois é pesada a responsabilidade de cuidar de uma criança — especialmente quando não é nosso filho —, mas é essencial ficar muito claro para todos que eles não são os pais da criança.

Todas as regras devem vir de você e seu cônjuge. Converse com seu filho acerca da necessidade de deixá-lo na casa do parente e reforce a importância da obediência quando você estiver ausente. Algumas crianças são extremamente mal-educadas na ausência dos pais; respondem com falta de educação, fazem birra e mexem em tudo. Por isso, certifique-se de que seu filho não é o tipo de criança que ninguém quer por perto. Parece até uma forma rude de dizer, mas é a realidade.

Crianças precisam de limites e de um adulto que saiba impor autoridade sem bater, agredir ou ferir. Transmita suas orientações para a pessoa que ficará com seus filhos e deixe claro como quer que ela lide com eles. Exponha as suas regras de forma assertiva, como pai e responsável. Isso é importante, pois, provavelmente, a criança fará a maior parte das atividades do dia com o parente, que saberá, então, como agir no caso de mau comportamento.

Crianças precisam de limites e de um adulto que saiba impor autoridade sem bater, agredir ou ferir.

Quando a permanência na casa dos parentes não é constante, mas esporádica ou durante um período de férias, você pode dar uma folga a seus filhos. Essa situação é equivalente a passar um tempo na casa dos avós: é momento de relaxar e se divertir com os primos ou outros familiares, em um contexto diferente. Isso não quer dizer que as crianças poderão quebrar princípios estabelecidos ou que os pais serão desautorizados. Trata-se apenas de uma quebra saudável na rotina e, para isso, flexibilidade é fundamental. Porém, se nessas ocasiões seus filhos e parentes se comportarem de forma absurda ou fizerem algo em desacordo com uma diretriz que você lhes tenha comunicado, é importante que chame a atenção deles e fale abertamente acerca do que desaprovou. Também é importante verificar se não acontece *bullying* ou algum tipo de brincadeira ou comportamento vexatório entre eles. O *bullying* é um termo usado para designar um tipo de agressão física ou psicológica que acontece de forma intencional e repetitiva: ataques físicos, ameaças, insultos, preconceito, exclusão, humilhação, discriminação, entre outras formas de intimidação sistemática. Esse tipo de situação geralmente traz dor e angústia à vítima.[2] Sempre que perceber que alguma coisa não está bem, converse educadamente e resolva a situação. Cada família tem sua própria cultura. Por isso, antes de deixar seu filho passar um tempo na casa de um parente, avalie o ambiente em que ele estará inserido. Faça a si mesmo as seguintes perguntas:

- O local para onde vou enviar meu filho é tranquilo?
- Há muitas discussões?
- O que as pessoas costumam comer lá?
- Que tipo de entretenimento elas consomem?
- Quais atividades elas gostam de realizar?
- A que categorias de filmes elas assistem?
- Elas têm o hábito de jogar *games* violentos?

Se você sabe que nessa casa seu filho estará exposto àquilo com que você não concorda, não o deixe ir. A criança provavelmente vai chorar e tentar manipulá-lo, dizendo que você não a ama e usando argumentos como esse. Talvez, você também ouça algum tipo de comentário do parente. No entanto, o importante é aquilo que você quer para o seu filho. Portanto, posicione-se com firmeza.

É aconselhável que uma menina não esteja sozinha em um ambiente com alguém do sexo oposto. Se vai à casa de um parente, é bom que lá esteja também uma mulher adulta, como uma tia ou uma amiga. Hoje em dia, lamentavelmente, existem muitos casos de violência contra menores, incluindo o abuso sexual, e precisamos evitar que nossos filhos corram o risco. Um levantamento realizado pelo sistema de Vigilância de Violência e Acidentes do Ministério da Saúde mostrou que a violência sexual é o segundo tipo de violência mais comum contra crianças na faixa entre 0 e 9 anos. Os registros somaram 14.625 notificações de violência doméstica, sexual, física e outras agressões contra crianças nessa faixa etária, em 2011. Desse total, 35% dos casos estavam relacionados a violência sexual.

As agressões acontecem, em sua maioria, na própria residência da criança, e são promovidas por pessoas muito próximas de seu convívio, como pais, familiares, amigos ou vizinhos.[3] Se você tem algum receio, restrição ou dúvida quanto a deixar seus filhos irem dormir na casa de algum parente, não os deixe ir. É melhor pecar por excesso de zelo do que submeter uma criança ao risco de sofrer abuso sexual. Em nossos dias ocorrem situações absurdas, inclusive no âmbito familiar. É bom estar alerta.

Essa proibição pode produzir algum constrangimento? Sem dúvida. Mas é sempre melhor enfrentar um parente constrangido do que ter a infeliz surpresa de ver que seu filho foi molestado sexualmente — o que é traumatizante para todos, em especial para a criança. Se você desconfia de algo ou não gosta de qualquer questão relacionada a um parente ou amigo que quer levar seu filho para dormir na casa dele, simplesmente não deixe.

Caso a criança apresente rejeição à ideia de ir à casa do parente ou de ficar sozinho com ele, você deve tentar descobrir o motivo, pois pode ser que alguma coisa tenha acontecido. Talvez não seja nada sério, e que apenas tenham feito algo de que seu filho não gostou, como uma brincadeira de mau gosto, a restrição a uma atividade ou comida que ele quisesse ou alguma expressão que o magoou. É possível ainda que a criança só esteja tímida, ou queira ficar mais tempo com o papai e a mamãe sem a interferência de outras pessoas, ou mesmo tenha um temperamento mais introspectivo e caseiro. Outra possibilidade é que seu filho tenha aprontado alguma confusão, arrumado briga ou quebrado algum objeto e, por isso, esteja com medo de que relatem o ocorrido a você. Os motivos, enfim, podem ser muitos, mas é sempre bom ir atrás e investigar. Converse com a criança e com o parente envolvido sem criar tensão ou embaraço.

É importante manter os canais de comunicação sempre abertos. Se você tem uma atitude que costuma ser reprobatória ou agressiva, seu filho logo ficará com medo e não se expressará facilmente. Ele precisa enxergar os pais como amigos, como aqueles que se preocupam com seu bem-estar e vão permanecer sempre ao seu lado. Numa conversa na qual você queira investigar o que está angustiando o seu filho, por exemplo, é possível que ele lhe conte que os parentes contradizem o que você e o seu cônjuge estabeleceram, e pode relatar algo como: "Papai, você não me deixa jogar *games* violentos, mas, quando eu vou à casa do meu tio, ele coloca esse tipo de jogos para eu brincar junto com meu primo". Se ele conta isso a você, significa que tem abertura e confia no pai.

Ao conversar, demonstre empatia e escute com atenção. Não tenha pressa para dar-lhe um sermão ou repreendê-lo por um erro cometido. Deixe-o falar e colocar para fora o que o está incomodando. Dessa forma, seu filho se sentirá melhor e você, ao descobrir os motivos de sua angústia, poderá ajudá-lo de forma efetiva. Essa postura do pai para com o filho em um momento de bate-papo é fundamental, pois escutar com empatia leva ao entendimento e à ajuda verdadeira.

> Empatia quer dizer sentir o mesmo que a outra pessoa está sentindo. Os pais precisam se colocar no lugar do adolescente e tentar entender o que o levou a cometer aquele erro, bem como o que está sentindo no momento. Se o adolescente percebe que estão tentando entendê-lo e se identificam com os sentimentos dele, sente-se encorajado a continuar falando. Entretanto, se percebe que os pais o escutam com uma atitude de reprovação, a conversa irá durar pouco, e sairá dela se sentindo rejeitado.

Escutar com empatia pode ser aprimorado quando se fazem perguntas que remetam a reflexões como: "Você está dizendo que isso é o que sentiu naquele momento?", "Você está nos dizendo que achava que não o entenderíamos? É isso que está dizendo?". Tais perguntas dão ao adolescente a chance de esclarecer os próprios pensamentos e emoções, e aos pais a oportunidade de entendê-lo. [...] Uma vez que você já escutou e entendeu os pensamentos e sentimentos do adolescente, poderá dar-lhe apoio emocional.[4]

Embora a menção seja a filhos adolescentes, a demonstração de empatia para os filhos é positiva em qualquer fase da vida, sejam eles crianças, adolescentes ou adultos. E lembre-se: caso seu filho não queira de modo algum ficar a sós com um parente, tenha a sensibilidade de não forçá-lo a isso.

Todos os relacionamentos familiares são importantes e precisam ser cultivados. Não há nada melhor do que uma família unida, formada por pessoas que se amam e se querem bem. Crescer em um ambiente assim é extremamente benéfico para todos. Brincar com os primos, passear com os tios, desfrutar de momentos de descontração e lazer é muito bom e gera ótimas recordações. Ser assertivo em relação à influência dos parentes na educação dos seus filhos não quer dizer que você se tornará o tipo de pessoa chata, que não conversa, não convive e não permite que seus filhos interajam com ninguém. É zelar pela vida de seus filhos. Valorize o estabelecimento de laços fortes e saudáveis entre os membros de sua família e, caso haja alguma situação destoante, expresse sua posição e fique firme.

Em poucas palavras

- Os parentes não devem interferir na educação das crianças. Para tanto, exerça sua autoridade e seja assertivo sempre que perceber algum fato que o incomode.
- Os pais é que devem impor limites à interferência de parentes.
- Jamais permita que desautorizem seu cônjuge ou você na frente de seu filho.
- Se seus filhos precisam permanecer com parentes nos dias de trabalho, deixe claro que as regras são definidas por vocês, pai e mãe. Faça-os entender o valor e a importância da obediência. Explique ao seu parente como lidar com situações em que precise ser mais rígido.
- Avalie sempre a cultura da casa para a qual está enviando seu filho.

Atitude correta

Visitei uma casa em que morava uma menina de 4 anos e um casal de irmãos mais velhos: um rapaz de 16 e uma jovem de 18 anos. A pequena mamava o tempo todo no peito e fazia um enorme escândalo sempre que a mãe se recusava a amamentá-la, a ponto de quebrar objetos e tornar-se agressiva. Era um comportamento terrível, e os irmãos, principalmente a irmã mais velha, não interferiam na posição resoluta dos pais de colocar limites e deixá-la chorar. Eles, na verdade, ajudavam os pais, distraindo a caçula com outras atividades e colaborando de forma bastante participativa para reverter o mau comportamento da irmãzinha. Ao ver essa atitude nos mais velhos, a menina pôde ver que seus familiares tinham consistência e unidade e, por saber que não iam ceder às suas birras, teve de abandonar os escândalos.

Atitude errada

Fui chamada para ajudar uma família que morava com avós, tios, primos e agregados no mesmo terreno. Era muita gente indo de um lado para o outro, crianças e adultos gritando, e eu tendo de trabalhar com um casal que tinha dois filhos pequenos no meio daquela confusão. As crianças não queriam saber de ordens, regras ou limites. Quando a situação apertava para o lado delas, saíam correndo para a casa dos avós ou dos tios, em procura de proteção que as deixasse isentas de qualquer disciplina. Era preciso tomar uma atitude radical, começando pelos parentes, para, depois, me dedicar aos pais. E foi isso que fiz: reuni toda a família, expliquei a situação, exigi a colaboração deles e impus limites físicos — por meio de placas que delimitavam os horários em que podiam entrar na casa uns dos outros. Não foi fácil mudar a rotina de uma família grande, acostumada a interferir na vida dos outros, com avós e crianças pequenas no meio. Mas, depois de muito trabalho, o resultado foi gratificante não somente para a família que tinha solicitado minha visita, mas para todos.

Como lidar com a influência da escola

O que lhe vem à mente quando pensa sobre o tempo em que era estudante? O material novo? A professora de que mais gostava? O primeiro dia de aula? A hora do lanche? Uma situação que não lhe agradou? A dificuldade de compreender uma matéria? Os amigos? Os professores? As brincadeiras? Pode ser que até se lembre do cheiro da sala de aula e se sinta nostálgico apenas por pensar naquela época. Essas lembranças tão vívidas permanecem em nossa memória porque a escola desempenha um papel muito importante em nossa história e deixa marcas que levamos conosco pelo resto da vida.

O ambiente escolar é, sem dúvida, um tremendo influenciador na educação de um ser humano. Por isso é essencial estar atento antes de escolher uma instituição de ensino em que matricular seu filho. A partir do momento em que ele ingressa na unidade escolar, é preciso acompanhar tudo o que acontece em seu dia a dia, em relação aos estudos, às amizades, ao relacionamento com os professores e a todo o contexto que o cerca.

> *A escola desempenha um papel muito importante em nossa história e deixa marcas que levamos conosco pelo resto da vida.*

A escolha da escola é uma decisão muito importante e delicada e, pelo que tenho visto, os pais deveriam levá-la mais a sério do que muitos levam. Tal escolha tem sido feita por fatores como o nome da instituição, o anseio dos pais em matricular os filhos em um sistema que seja mais rígido e a proximidade de casa. Claro que considerar tais fatores é perfeitamente compreensível, mas esses não podem ser os únicos aspectos a ser considerados.

Algumas informações são essenciais e devem ser avaliadas logo no primeiro contato com a diretora da escola que está sendo visitada: a rotina escolar, os livros didáticos, a linha pedagógica. Escolas sérias possuem as diretrizes de seu funcionamento redigidos em documentos impressos ou digitais, que possibilitam aos pais o acesso a todas essas informações. A menos que você trabalhe na área de educação ou seja um especialista no assunto, muito provavelmente não conhece a diferença entre as variadas metodologias de ensino, como as linhas tradicional, construtivista, montessoriana ou Waldorf, por exemplo.

Contudo, não é necessário ser um especialista para estar bem informado, pois você pode pesquisar na Internet, conversar com conhecidos e buscar a orientação de pedagogos, psicopedagogos ou professores. Procure respostas a perguntas como: "O que isso significa?"; "Como funciona esse método?"; "Como vão lidar com meu filho?"; "De que modo trabalharão no dia a dia?"; e "O que vão ensinar?".

Com base no que conhece sobre seu filho, ao adquirir as informações necessárias, você saberá se a proposta de determinada escola é adequada ou não para ele. Por isso, o conhecimento, a intimidade e a interação com a criança ou o adolescente serão importantes para levá-lo a concluir se determinada instituição de ensino é boa para seu filho ou não, após tomar conhecimento do método e estar a par do tipo de rotina proposta.

Para facilitar seu conhecimento, relaciono aqui informações básicas sobre quatro correntes de ensino bastante comentadas.[1] Cada uma, naturalmente, tem muito mais características. O quadro a seguir apenas ajuda a ter uma visão panorâmica. Recomendo que você e seu cônjuge informem-se em profundidade sobre as diferentes linhas pedagógicas, caso estejam em fase de escolher uma escola para o seu filho.

Linha pedagógica	Características	Forma de avaliação
Tradicional Origem: Século 18/ Iluminismo	• Resistente a grandes inovações. • Aulas expositivas, com foco maior na teoria e nos exercícios sistematizados. • O professor é a figura central e o guia do processo de construção do conhecimento. Tem uma postura de "poder". • Pouco viés prático. • Não tem muita abertura para posicionamentos livres e individuais. • O aluno adota uma postura de passividade e recebe as informações sem grande espaço para o debate e contestações.	• Provas e avaliações periódicas que visam a mensurar a quantidade de conteúdo absorvido e preparar o aluno para as provas de acesso à universidade.
Construtivista Inspirado nas ideias de Jean Piaget	• O aluno participa ativamente do processo de aprendizado, por meio da interação com os colegas e com o entorno. • Estimula a curiosidade, a pesquisa em grupo, a formulação de perguntas, o desenvolvimento do raciocínio, entre outras habilidades. • Prefere materiais didáticos que não sejam estranhos à realidade e ao repertório dos alunos. • Voltada para a reflexão e a autoavaliação.	• Considera o erro como fato importante na aprendizagem. • Desaprova a rigidez no processo de ensino e as avaliações padronizadas.

Linha pedagógica	Características	Forma de avaliação
Montessoriana Criada por Maria Montessori	• Desenvolve o senso de responsabilidade do aluno pelo próprio aprendizado. • Os professores são guias, que sugerem e orientam. Eles deixam que a criança se corrija e, assim, ganhe mais autoconfiança. • Leva em conta a personalidade de cada indivíduo. • Estimula a concentração e a percepção sensório-motora da criança por meio de atividades lúdicas. • Separação de turmas diferente da convencional. Alunos de idades próximas compartilham da mesma classe.	• Avaliação contínua, levando em consideração todas as atividades realizadas.
Waldorf Criada por Rudolf Steiner	• Busca a integração entre o pensar, o sentir e o querer. • Alia o teórico ao prático, com ênfase em atividades corporais, artísticas e artesanais. • O currículo é baseado em ciclos de sete anos. • Não há a alternância de disciplinas entre os dias da semana. As matérias são ensinadas por épocas, ou seja, o aluno permanece por um tempo estudando um único tópico. • Até o último ciclo, não há professor, e sim um tutor que é referência de comportamento e disciplina para os alunos.	• Avalia o progresso diário do aluno. • Não há repetição.

No processo de escolha de uma instituição de ensino, é de extrema relevância avaliar se a escola é mais rígida ou liberal. O ideal é que a linguagem adotada no ambiente escolar seja parecida com a que você e seu cônjuge usam em casa. Se você é muito rígido com seu filho, tem regras, horários e rotina e, por isso, ele está acostumado com esse tipo de vida em casa, o mais aconselhável é que o matricule em uma escola que tenha as mesmas características. Por outro lado, quando a criança está acostumada a muito liberalismo em casa, sem horários para dormir, acordar, tomar banho ou outras atividades, é melhor que você a matricule em uma instituição mais maleável, a fim de não desanimá-la logo no começo.

O simples fato de entrar na escola já será um choque para ela, pois trata-se de uma instituição em que há horário para entrar e sair e onde não se pode fazer tudo a qualquer momento ou de qualquer maneira. Se a criança está acostumada a um estilo muito solto e a escola é rígida demais, o estranhamento e a inadaptabilidade podem acarretar problemas comportamentais de resistência às regras impostas pelo ambiente de ensino. E isso significa dor de cabeça não apenas para o pequeno, mas para os professores e também para os pais.

É essencial que você e seu cônjuge conheçam diferentes características e metodologias da escola que extrapolam a questão pedagógica e acadêmica e envolvem tudo o que diz respeito aos aspectos comportamentais e de convívio social, como a proposta de aplicação de disciplina; a forma de atuação de professores e funcionários nas diferentes situações do dia a dia; a maneira de agir em casos de *bullying*, brigas, agressão e violência; e a escolha do cardápio do refeitório e da cantina. Esses são esclarecimentos importantes, e a avaliação cuidadosa de tudo isso deve ser feita a despeito da idade de seu filho.

Procure saber também quais são a linha de pensamento, os valores e os princípios da instituição, pois tudo isso será transmitido ao seu filho. Ao longo do tempo, todo o conteúdo ensinado influenciará a formação do caráter e da personalidade da criança.

Cheque se não há conflito entre as orientações estabelecidas em sua casa e as da escola. Esteja certo de que as respostas que seu filho encontrará lá serão positivas e vêm ao encontro do que é defendido em sua casa. Dessa forma, a criança vai se sentir feliz e com vontade de ir às aulas e de aprender com as professoras e os coleguinhas.

> *Ao longo do tempo, todo o conteúdo ensinado influenciará a formação do caráter e da personalidade da criança.*

Se você é cristão e matricula seu filho em uma escola cristã, com certeza haverá concordância nos ensinamentos transmitidos em casa e na escola. Mas, se não é cristão, não ora em casa, não lê a Bíblia ou é contra qualquer postura religiosa e, mesmo assim, opta por matricular seu filho em uma instituição cristã, ou você está preparado para aquilo que ele aprenderá lá ou determinou de antemão que vai aceitar ensinamentos da fé cristã. Caso contrário, estaria sendo incoerente.

Se porventura você estiver confuso ou inseguro em relação aos valores e princípios para a formação do caráter de seu filho, quero lhe oferecer uma dica de ouro: consulte a Bíblia. Ela está repleta de ensinamentos fortes e sólidos que, certamente, farão bem para você e sua família. Se puder escolher e investir em uma escola comprometida com os valores e princípios do evangelho, esteja certo de que será a melhor escolha e o melhor legado para a educação de seu filho.

Caso você não concorde com algum aspecto fundamental de determinada escola, como a maneira com que os profissionais lidam com as questões comportamentais, não matricule seu filho nessa instituição. É importante, claro, ter bom senso, já que, às vezes, é difícil encontrar uma instituição que atenda totalmente ao que desejamos. Se esse for o caso, veja o que você de fato quer. Avalie com critério e sabedoria, pois você conhece seu filho melhor do que ninguém e sabe o que é bom para ele. Entre os aspectos não tão importantes e que podem ser relevados, estão, por exemplo, a forma como o lanche é distribuído — se é comunitário ou não — ou que tipo de serviço é oferecido na cantina. Esses são aspectos do dia a dia escolar que podem ser discutidos e acordados com mais flexibilidade.

Considere seriamente a questão da carga horária. Hoje em dia, as crianças passam muito tempo na escola, em detrimento de outras atividades importantes, como esportes, aulas de música, desenho, visitas a museus ou outras práticas que possam acrescentar conhecimento e descobrir e desenvolver talentos e habilidades que fortalecerão a autoestima da criança. Hoje há centros esportivos, públicos e privados, que oferecem diferentes atividades, durante meio período, exatamente para desenvolver outras áreas nas crianças tão importantes quanto as atividades acadêmicas.

Por fim, avalie de perto a estrutura física do prédio, para ver as condições de conforto e os possíveis perigos. Visite as salas de aula, as quadras, os espaços ao ar livre, a área dedicada ao lanche, os elevadores e as escadarias. Converse com o diretor, os coordenadores e os professores não somente uma vez, mas muitas vezes, se for necessário. Esclareça as dúvidas que tiver e informe-se o mais profundamente possível, pois é o seu precioso filho quem será afetado por tudo o que acontecer no ambiente escolar.

É importante considerar tudo isso antes de tomar a decisão de matricular seu filho em determinada instituição de ensino, pois dessa escolha vai depender muita coisa na vida da criança, já que ela vai passar muito tempo nesse lugar. A atitude dos pais deve ser de zelo e de pesquisa, até encontrar a escola adequada. E isso deve ser feito sem medo e sem receio de importunar por ter de ir mais de uma vez à coordenação ou à direção para fazer perguntas, porque o que está em jogo é a educação, a formação e o bem-estar de seu filho. Convenhamos que não é pouca coisa!

Colegas e professores

Matricular seu filho em uma escola implica pôr seu filho em contato com outras crianças e com professores e, consequentemente, com maneiras de pensar e agir diferentes daquelas que ele vivencia em casa. Com certeza, ele vai trazer questionamentos e adotar atitudes com base no que aprendeu durante o convívio com os colegas de classe e as "tias" da escola. Isso acontece muito mais rápido do que gostaríamos! No entanto, é normal e faz parte do processo de crescimento e desse novo mundo que seu filho está conhecendo.

Quando você perceber que a criança ou o adolescente está sendo influenciado de um modo que não lhe agrada, é importante, antes de tudo, manter a calma. Algumas traquinagens e demonstrações de si podem acontecer, e as crianças geralmente vão querer mostrar o que aprenderam assim que chegarem em casa. É claro que nem sempre aprendem o que é bom quando estão com outras crianças — talvez digam um palavrão ou façam alguma coisa considerada nojenta —, mas isso não quer dizer que os seus anos de dedicação paterna estão arruinados.

Quando não gostar de algo, expresse sua reprovação de imediato e estabeleça limites, dizendo-lhe que você não gosta que ele faça ou fale tal coisa. Se não houver obediência, discipline-o para que entenda a linha que deve seguir, ou seja, as regras que vocês, pais, definiram. Por isso, é tão fundamental que a escola esteja de acordo com a sua maneira de pensar a educação e a formação do ser humano, pois essas interferências sempre vão acontecer, podendo, porém, ser amenizadas pelas correções dos professores e pelo referencial que a própria escola oferece aos alunos.

Deixe para repreender seu filho só quando for necessário, não adianta se precipitar. Espere até que vá à escola e volte, se for o caso, com alguma "gracinha". Apenas fique atento às mudanças e às novidades. Entenda que essas "gracinhas" são naturais, acontecem com a maioria das crianças e não são um problema exclusivo de seu filho. Posicione-se com convicção, sem bater ou gritar. Tenha firmeza na voz e exerça sua autoridade.

Quando qualquer ideia da qual você não goste for transmitida ao seu filho, dialogue com ele sobre o assunto, mantendo sempre os canais de comunicação abertos, isto é, sem uma postura condenatória, pesada ou rude. Explique-lhe o motivo pelo qual não concorda com determinado ensinamento ou princípio. Isso pode ser um tanto complicado, pois seu filho estará em contato com essas ideias diariamente. Por isso, volto a enfatizar: é melhor gastar um bom tempo na escolha da escola, para evitar, justamente, esse tipo de transtorno. Leve em conta que as crianças ainda não têm ideias formadas, mas ainda estão aprendendo a raciocinar e pensar de forma objetiva. Uma discrepância muito grande entre o que os pais pregam e o que a escola ensina pode causar confusão na mente delas.

Se a divergência de ideias tiver relação com conceitos e posturas transmitidos por algum colega, a primeira atitude a tomar é informar-se com seu filho. Caso não tenha sucesso, vá à escola e converse com os professores. Envolva a escola na solução do problema, pois a instituição tem direção e coordenação pedagógica, e algumas contam com psicólogos, psicopedagogos e profissionais que convivem com as crianças o dia inteiro e sabem lidar com isso. Deixe que a escola tome uma atitude. Em contextos mais sérios, converse com os pais do coleguinha. Mas, se a situação aconteceu na escola, os profissionais que nela atuam é que têm de buscar uma solução.

Envolva a escola na solução do problema, pois a instituição tem direção e coordenação pedagógica, e algumas contam com psicólogos, psicopedagogos e profissionais que convivem com as crianças o dia inteiro e sabem lidar com isso.

Os pais têm a missão e a obrigação de mostrar para os filhos aquilo que entendem ser certo ou errado. Algumas pessoas delegam a educação integral à escola e aos professores, o que é um tremendo erro. Educação vem de casa e vai para a escola, e não o contrário. É em casa, e por meio do diálogo e do convívio com os pais, que as bases do caráter e da personalidade da criança são construídas. Se os pais não estiverem atentos a isso, os filhos podem ficar vulneráveis às influências externas negativas.

Tenha o costume de interagir com seu filho, dedique tempo para compartilhar pensamentos, histórias, conselhos e risadas. Faça parte da vida dele. Se você tiver a Bíblia como base de vida, estimule-o a conhecê-la e transmita-lhe a sua fé. Isso é salutar para a criança e para você também. Procure saber mais sobre os coleguinhas e as professoras. Inteire-se acerca do que ele aprendeu e de possíveis dificuldades que esteja enfrentando. Folheie seus cadernos e elogie os bons trabalhos. Esse tipo de dinâmica aprofunda as raízes de seu relacionamento e faz que seus filhos enxerguem em você um porto seguro e uma proteção nos momentos de adversidade. Quando esses laços estão fortes e há contínua troca de ideias entre vocês, seu filho adquire mais confiança e não é enganado facilmente por qualquer ideia contrária à que vocês lhe têm transmitido.

É claro que a escola é uma grande parceira da família na educação do filho, já que ele passa boa parte do dia lá. Se considerarmos que o dia tem vinte e quatro horas, das quais oito a criança dorme (ou deveria dormir), e de quatro a oito passa na escola, podemos ver que ela fica muito do tempo em que está desperta na companhia de colegas e professores. Embora os docentes fiquem durante esse tempo com as crianças, a educação propriamente dita deve ser estabelecida pelos pais; os professores são colaboradores. Diante disso, uma parceria tem de ser feita, ou seja, pais e professores devem trabalhar em conjunto visando ao bem da criança.

A Bíblia faz a seguinte indagação: "Duas pessoas andarão juntas se não estiverem de acordo?" (Am 3.3). Podemos aplicar essa verdade à relação entre família e escola. Pais e professores precisam falar a mesma língua e trabalhar em prol das crianças. Precisa haver um relacionamento dinâmico, contínuo e de mútua confiança entre pais e escola, para que possam andar juntos e orientar a criança na mesma direção.

E se a escola torna-se uma má influência?

A influência da escola pode se tornar negativa para o seu filho. Alguns sinais de alerta clássicos são a visível infelicidade dele ao sair de casa para o ambiente escolar e a falta de entusiasmo no retorno. Se isso ocorrer, verifique o que está acontecendo. Se tiver acontecido algo grave ou se a linha de ensino da instituição não for a mais adequada para ele, é aconselhável que o mude de escola. Mas uma medida radical assim não pode acontecer por qualquer motivo.

É importante que você se certifique de que não se trata simplesmente de manha ou birra da parte dele. Investigue o que se passa; pode ser que algum colega esteja praticando *bullying*, ou que ele não esteja gostando de uma matéria ou do professor, algo contornável. Certas situações podem ser revertidas por meio de uma simples conversa e tomada de atitude perante o seu filho e os profissionais da escola.

A criança deve frequentar uma escola de que goste e na qual se sinta feliz. Ela pode gostar mais de uma matéria do que de outra, relacionar-se melhor com um colega do que com outro, preferir um professor a outro, mas esses são detalhes. O fundamental é que a criança esteja à vontade e tenha gosto por aprender; a instituição na qual está matriculada precisa atender a essas necessidades, que fazem parte do desenvolvimento dela. Isso resultará em boas notas e numa melhor conduta.

Existem casos em que a criança fica pulando de uma escola para outra. Isso pode acontecer por vários motivos; talvez os pais mudem de residência com regularidade por causa do trabalho, por exemplo, ou talvez tenha ocorrido alguma eventualidade familiar. Mas, se essas mudanças frequentes estiverem estritamente relacionadas à *performance* da criança, os pais precisam investigar e descobrir qual é o problema. Redobre a sua atenção e aja rapidamente.

> *A criança deve frequentar uma escola de que goste e na qual se sinta feliz.*

Quando a criança não tem problemas com a escola ou com os colegas, a transferência para outra instituição de ensino é, em geral, triste, por causa dos vínculos emocionais de amizade com as outras crianças e com os professores. Para lidar com isso, abrace seu filho, converse com ele e ajude-o a expor seus sentimentos. Entretenha-o em atividades que o ajudem a se distrair da tensão e que o mantenham animado para prosseguir.

A criança pode continuar a manter contato com os colegas que fez na escola anterior. Nesse sentido, os pais têm um papel a desempenhar, o de ajudar seu filho a preservar bons laços de afinidade e companheirismo e fazer o possível para que tais relacionamentos sejam mantidos fora da escola. É possível marcar um passeio no *shopping* ou um lanche da tarde, por exemplo, de modo que haja uma ótima oportunidade para que eles se vejam e continuem a amizade.

Ao longo de minha carreira como educadora, acumulei bastante experiência sobre o ambiente escolar. Comecei a trabalhar nesse meio muito nova, com 18 anos. Desde então, sempre estive vinculada à sala de aula, como professora, e também como mãe. Além disso, fundei uma escola em parceria com outros educadores e pude enxergar o dia a dia da perspectiva de um responsável por uma instituição de ensino. Com base nisso, ressalto algo que sempre menciono em minhas palestras e nos diálogos com os pais: *diante da busca pela melhor escola para o seu filho, não se concentre apenas na melhor escola da cidade, do estado ou do país, mas, sim, na que será a melhor escola para ele.* É fato que a escola influenciará a vida dos seus filhos. Então, que seja a melhor influência e que esteja de acordo com os princípios de sua família. É preciso que haja tranquilidade no coração dos pais para deixar nas mãos dos professores seu maior tesouro: o filho que Deus lhes confiou para formar, educar, orientar e moldar.

Em poucas palavras

- Pesquise com diligência as escolas antes de decidir em qual vai matricular seu filho.
- Conheça bem a escola. Para isso, faça perguntas sobre todas as áreas, sem levar em conta somente os aspectos acadêmicos. É preciso considerar, também, a linha de pensamento, os princípios e os valores defendidos pela instituição.
- Acredite na parceria entre a escola e a família. Ela é fundamental para a educação das crianças. Para isso, certifique-se de que vocês, pais, e a instituição estão falando a mesma linguagem.
- Dedique tempo suficiente para interagir e estar a par de tudo o que acontece com o seu filho no ambiente escolar.
- Ao perceber que a linha de ensino da instituição não é adequada à criança, é aconselhável transferi-la de escola. Isso resultará em melhora nas notas e no comportamento dela.

Atitude correta

Tive uma experiência interessante com um de meus filhos. Ele não se adaptava ao sistema implantado na escola onde estudava e isso fazia que tivesse problemas de comportamento. A instituição o encaminhou para um especialista, alegando que ele tinha problemas psicológicos e precisava de ajuda de um profissional, até de um psiquiatra. Eu não acreditei nisso, porque ele não estava com problema nas notas. Era simplesmente uma questão de comportamento. Meu filho realizava suas atividades, ajudava a professora e ainda tinha tempo para bagunçar. Assim, uma amiga psicopedagoga comentou que talvez a escola não estivesse adequada para ele. Decidi fazer uma pesquisa durante seis meses para encontrar uma instituição que correspondesse ao perfil dele. Assim que a encontrei, fiz a transferência e, como resultado, todos os problemas comportamentais acabaram. Isso porque a nova escola tinha uma metodologia adequada às necessidades dele. Nela, meu filho encontrou um ambiente estimulante, no qual podia sentir-se à vontade, estudar, crescer e evoluir.

Atitude errada

Um casal de conhecidos meus teve uma filha com problemas de visão. Ela precisava de óculos de grau elevado para enxergar direito. Não tinha problemas mentais, mas, desde pequena, foi uma criança muito insegura. Quando chegou o momento de matriculá-la na escola, a escolha da instituição não levou em consideração o método adequado para as dificuldades da criança, mas, sim, o prestígio da escola, junto com outros fatores de grande interesse para os pais.

Como consequência dessa escolha, a criança não se adaptou à escola. Mas o pior não foi isso: avaliando o desenvolvimento da menina diante das exigências do método aplicado com os alunos, os relatórios que chegavam aos pais a consideravam deficiente mental. Isso trouxe grandes problemas para a família. Os pais buscaram a ajuda de especialistas e constataram que os relatórios da escola estavam totalmente equivocados. A questão é que a escolha da escola para aquela criança, com limitações físicas funcionais que não comprometiam seu desempenho intelectual, foi totalmente equivocada. Hoje, graças ao redirecionamento feito na ocasião, aquela menina tornou-se uma adulta bem-sucedida profissionalmente, casada e com filhos.

Como lidar com a influência dos amigos e de suas famílias

Criamos nossos filhos para que possam viver e conviver em um mundo diferente do que construímos dentro das paredes de casa. Desde cedo, já na escola, eles têm de aprender a lidar com ideias contrárias e formas diversas de enfrentar a realidade. Quando a criança tem uma base sólida no lar, com pais presentes, que dialogam e abrem espaço na agenda para lhe dar a devida atenção, ela consegue interagir com mais desenvoltura e segurança diante de pessoas, conceitos e situações que se apresentam no dia a dia. É nesse cenário de pluralidade de concepções que o pequeno selecionará quem fará parte de seu ciclo de amizades, aquelas crianças com quem trocará experiências, vivências e pensamentos. Essa dinâmica pressupõe exercer influência e ser influenciado.

Para que nossos filhos não sejam facilmente induzidos ao erro ou se tornem pessoas instáveis, sem opinião nem voz, é importante que nos dediquemos a construir sólidos traços de caráter neles. Esses traços consistem na maneira de interagir que está conectada à personalidade da pessoa e fazem parte de sua socialização. São eles que vão ditar a forma de se relacionar com a família, os amigos, as famílias dos amigos e todas as pessoas que estão ao redor. O respeito, por exemplo, é um desses traços.

Respeitar um ao outro tem a ver com dar atenção, dialogar, trocar ideias, saber conviver apesar das diferenças e das discordâncias, saber ouvir. É entender que todos somos diferentes e cada indivíduo tem a sua maneira de pensar e ver as coisas. O respeito é um dos valores mais importantes que um ser humano pode cultivar, porque tem a ver com o importante preceito bíblico: "Ame o seu próximo como a si mesmo" (Mt 22.39).

A formação de um caráter respeitoso surge da convivência diária com pais que falam a verdade e são amorosos, éticos, justos e autênticos. Isso ajudará a criança a se posicionar firmemente diante das pessoas, a expressar o que aprendeu em casa e aquilo em que acredita, sem medo de que seus interlocutores pensem de modo diferente. Na prática, é saber se posicionar com firmeza diante de amigos discordantes, sem se tornar um "maria-vai--com-as-outras".

> *A formação de um caráter respeitoso surge da convivência diária com pais que falam a verdade e são amorosos, éticos, justos e autênticos.*

Os problemas mais frequentes da influência dos amigos na educação dos filhos consistem exatamente no atrito e na absorção de opiniões conflitantes. Isso ocorre porque cada família e cada indivíduo têm uma maneira própria de olhar e interpretar a realidade. Algumas vezes esse olhar coincide; outras, não. Uma criança que não escuta palavrões em casa e sabe que isso não é bom pensará duas vezes antes de adquirir esse hábito, mesmo que a família do amigo esteja acostumada a usar palavras de baixo calão diante das situações mais triviais. Um adolescente que sabe a importância de preservar sua sexualidade e tem um sólido referencial em seu lar não se deixará levar tão facilmente pela influência de amigos que não compartilham desse mesmo valor.

É bom ensinar os filhos a perceber as diferenças de opinião entre os amigos e familiares e respeitá-las, sabendo que os ensinamentos adquiridos em casa devem prevalecer em sua forma de pensar. Somente diante de ideias ou situações muito opostas e crenças ou valores que se contrapõem fortemente, com possíveis riscos, é necessário um enfrentamento mais firme, com o término dessa amizade.

Nossos filhos precisam enxergar os pais como os melhores amigos, as pessoas que zelam pela felicidade deles e estão engajadas em ensinar-lhes o caminho do bem. Quando os pais cumprem essa missão, aproximando-se dos filhos, mantendo os canais de comunicação e afeto sempre abertos e vivendo de forma condizente com o que dizem, as crianças entendem até as decisões mais sérias, como a necessidade de afastá-las de um amigo que as esteja influenciando negativamente.

Em casos mais leves, quando apenas é preciso chamar a atenção em decorrência de pequenas desavenças ou embates do cotidiano, é possível que surjam mágoas entre seu filho e você, ou entre ele e o amigo que sabe que você o desaprovou de alguma forma. Diante de uma situação assim, o melhor é esperar e deixar que esse amigo possa, com o tempo, entender a situação, valorizar a amizade e resolver a mágoa por si só. É claro que não podemos ser indelicados ao chamar a atenção de alguém — precisamos ter tato sempre.

Na casa do amigo

No momento em que surgir um convite para seu filho dormir na casa de um amigo, os pais precisam tomar uma decisão em comum acordo. É importante não haver discussão sobre o assunto na frente do filho, que certamente desejará dormir na casa do amigo para passar mais tempo com ele e se divertir. No caso de uma negativa, é preciso explicar por que vocês, pais, não permitiram e quais são os possíveis problemas de deixá-lo dormir na casa de outras pessoas.

Se os pais concordam, porque acham que é uma maneira de estreitar os laços de amizade, é indispensável conhecer muito bem o amigo que está convidando seu filho e, principalmente, os pais dele. É interessante conhecer a casa, avaliar a estrutura e ver o comportamento das pessoas. Não se envia um filho para dormir na casa de pessoas que mal conhecemos! É preciso confiar também na criança e assegurar-se de que o comportamento dela será condizente com o ambiente.

Não existe uma idade certa para deixar os filhos dormir na casa dos amigos; no entanto, leve em consideração se a criança está preparada. Afinal, ninguém quer sair de casa às três da manhã para pegar um filho que está chorando de saudade dos pais na casa do amigo. Uma criança na faixa dos 6 a 7 anos já tem uma personalidade, um caráter mais formado, fortalecido e inculcado, o que lhe dará discernimento para avaliar uma ou outra situação que se apresente. Mas os pais precisam ter muita cautela e só liberar o filho se sentirem segurança.

> *Não existe uma idade certa para deixar os filhos dormir na casa dos amigos; no entanto, leve em consideração se a criança está preparada.*

A criança um pouco mais velha já pode discernir e entender que aquilo que não é praticado em casa não deve ser praticado fora de casa também, seja falar palavrão, seja entreter-se com algum conteúdo que não condiz com o padrão estabelecido pelos pais. Ela sabe o que é bom e o que não é. Se os seus traços de caráter estiverem fortalecidos, vai se recusar a participar de qualquer atividade que considere nociva. Já com crianças menores, isso não acontece com muita facilidade.

Agora, se você toma conhecimento de que seu filho está se envolvendo com passatempos que você não aprova, entre em ação. Se ele quiser ir para a casa de alguém que não se comporta de acordo com as regras que você estabeleceu, é muito simples: não o deixe ir. E, caso o seu filho fique chateado, explique suas razões e não se importe nem se preocupe muito com birras ou manhas. Muitos pais acabam enfrentando sérios problemas porque foram muito frouxos e permissivos na hora de dizer *não* aos filhos.

A criança que faz o que quer e não sente firmeza em seus pais é extremamente prejudicada. Você pode pensar que dizer *sim* a tudo livrará seu filho de traumas e o fará feliz, mas, se esse é o seu caso, saiba que está muito enganado. As crianças precisam entender que têm limites e, na verdade, sentem falta disso. O *não* dito na hora certa pode, inclusive, livrá-las de perigos e acidentes.

Com certeza há alguns "não" que precisam ser ditos. Não, você não pode cortar o cabelo de sua irmãzinha com o cortador de galhos. Não, pelo menos uma refeição em cada três precisa ser nutritiva, ou seja, nada de doces, produtos aromatizados artificialmente e salgadinhos de pacote. Esse tipo de coisa... Precisamos estabelecer limites e regras para proteger nossos filhos. Na verdade, as crianças precisam dos limites determinados pelos pais. Elas ficam assustadas quando têm de criar as próprias regras. E quando isso acontece, a situação é ainda mais assustadora para os pais![1]

Sempre que for necessário, diga *não* para o seu filho. Num primeiro momento, ele pode até não compreender, mas, quando ficar mais velho, entenderá e, com certeza, vai lhe agradecer.

Pode ser que você fique preocupado em criar uma situação constrangedora em relação aos pais da criança que convidou o seu filho para dormir em casa. É comum que esses convites partam de pais que desejam que seus filhos criem laços de amizade e se divirtam. Muitas crianças ficam na escola o dia inteiro ou sozinhas com os avós, e muitos pais sentem que elas precisam de mais contato com colegas da idade delas. Por isso, não é raro que os pais de algum amiguinho de seu filho o convidem para passar um tempo juntos na casa deles. Mas, se algo incomoda você ou seu cônjuge, mesmo que a intenção seja boa, sua resposta tem de ser *não*. Para falar com esses pais, no entanto, seja cuidadoso, explique o motivo, não ofenda e não seja indelicado. Eles vão compreender.

Amigos que exercem má influência

Caso você detecte que um ou mais amigos de seu filho exercem má influência sobre ele, chame-o para uma conversa, de forma rápida e assertiva. Relembre os princípios, as regras e os valores que norteiam a educação dele e lhe explique a verdade dos fatos. Pode ter certeza de que seu filho já entende muita coisa e precisa estar ciente das consequências que as más decisões dele podem causar. Não tenha medo de repreendê-lo quando necessário.

A repreensão, aliás, é um ato de amor. O próprio Deus demonstra seu amor a nós por meio da disciplina: "... o Senhor disciplina a quem ama, e castiga todo aquele a quem aceita como filho" (Hb 12.6). Crianças e adolescentes a quem não são impostos limites ficam expostos a perigos e arriscam a própria vida.

É interessante o fato de que a criança precisa sentir que está sendo monitorada por um adulto. Quando ela é muito largada e faz o que quer, desenvolve carências emocionais, pois, no fundo, vive um sentimento de abandono. Portanto, não seja apático, covarde, nem bonzinho demais. Isso não quer dizer que você deva bater em seu filho, mas, sim, que precisa aplicar a disciplina. Se ele fica horas jogando *video game*, por exemplo, guarde o jogo eletrônico e só o libere depois de um tempo. Ou, se ele ganhava mesada no meio do mês, suspenda o benefício até que ele aprenda que regras existem para ser obedecidas, que bons conselhos servem para ser seguidos, que limites não podem ser ultrapassados e que os pais devem ser respeitados.

Pessoas que pretendem exercer má influência e levar seu filho para o mau caminho são muito espertas e sagazes e, se você não prestar atenção, seu filho vira presa fácil.

Seu filho precisa ver solidez em você. Caso contrário, você é quem poderá ser enganado. Digo isso porque, geralmente, pessoas que pretendem exercer má influência e levar seu filho para o mau caminho são muito espertas e sagazes e, se você não prestar atenção, seu filho vira presa fácil. Nesse sentido, a religiosidade cristã é um grande diferencial, pois a criança que foi educada nos preceitos bíblicos e vivencia a prática da fé no dia a dia não se desviará com tanta facilidade do bom caminho, apesar de influências externas.

De fato, a pessoa que, desde a mais tenra idade, teve sua criação baseada em princípios e valores sadios e bem estabelecidos saberá escolher com mais prudência suas amizades. Creio firmemente no que afirma o livro bíblico de Provérbios: "Instrua a criança segundo os objetivos que você tem para ela, e mesmo com o passar dos anos não se desviará deles" (Pv 22.6). Preste atenção no verbo utilizado, "instruir". Os dicionários o definem como "educar", "esclarecer", "informar", "adestrar", "treinar" e "preparar para julgamento". A criança que teve seu caminho pavimentado de forma consistente saberá, quando for maior, julgar o que é bom ou não para si.

Se você escolheu os ensinamentos bíblicos como referência para a criação de seus filhos, saiba que eles fornecem base sólida, confiável, verdadeira e eterna. Além do mais, a Bíblia é um livro extremamente didático, pois traz exemplos de pessoas que vivenciaram situações diversas e que colheram resultados bons ou maus, de acordo com suas escolhas. Atente para alguns dos preciosos conselhos extraídos do livro de Provérbios, que podem dar base para um excelente diálogo com seu filho. É claro que, se ele for pequeno, você terá de explicar-lhe essas verdades de forma adequada e inteligível à idade dele.

> Ouça, meu filho, a instrução de seu pai e não despreze o ensino de sua mãe. Eles serão um enfeite para a sua cabeça, um adorno para o seu pescoço. Meu filho, se os maus tentarem seduzi-lo, não ceda! Se disserem: "Venha conosco; fiquemos de tocaia para matar alguém, vamos divertir-nos armando emboscada contra quem de nada suspeita! Vamos engoli-los vivos, como a sepultura engole os mortos; vamos destruí-los inteiros, como são destruídos os que descem à cova; acharemos todo tipo de objetos valiosos e encheremos as nossas casas com o que roubarmos; junte-se ao nosso bando; dividiremos em partes iguais tudo o que conseguirmos!" Meu filho, não vá pela vereda dessa gente! Afaste os pés do caminho que eles seguem, pois os pés deles correm para fazer o mal, estão sempre prontos para derramar

sangue. Assim como é inútil estender a rede se as aves o observam, também esses homens não percebem que fazem tocaia contra a própria vida; armam emboscadas contra eles mesmos! Tal é o caminho de todos os gananciosos; quem assim procede a si mesmo se destrói.

Provérbios 1.8-19

Aquele que anda com os sábios será cada vez mais sábio, mas o companheiro dos tolos acabará mal.

Provérbios 13.20

A conversa do tolo é a sua desgraça, e seus lábios são uma armadilha para a sua alma.

Provérbios 18.7

Quem se afasta do caminho da sensatez repousará na companhia dos mortos.

Provérbios 21.16

Quem obedece à lei é filho sábio, mas o companheiro dos glutões envergonha o pai.

Provérbios 28.7

Para que seu filho confie em você e em seu cônjuge, a ponto de acreditar em seus valores e dizer *não* a qualquer amizade ou influência negativa, é necessário que vocês sejam pais presentes e próximos e que ele entenda que pode considerar vocês dois como seus melhores amigos. Se ele sentir esse vínculo, não lhes esconderá nada. Como ele tem vocês no papel de companheiros de jornada mais íntimos e confiáveis, fará de tudo para que nada atrapalhe esse relacionamento entre vocês. Esse é o caminho.

Seu filho precisa de um pai que o eduque e lhe mostre o caminho a seguir e de um amigo no qual possa confiar em qualquer circunstância. Ele terá muitos amigos ao longo da vida, mas somente um pai.

Em poucas palavras

- Conheça os amigos dos seus filhos e suas famílias antes de deixar as crianças passarem um tempo ou dormir na casa deles.
- Ensine seus filhos a respeitar a opinião dos outros, mesmo que não concordem com ela.
- Instrua seus filhos segundo os valores e princípios fundamentados na Bíblia, pois são verdadeiros e confiáveis. Isso contribuirá muito para a formação do caráter deles.
- Dialogue, interaja e desenvolva um relacionamento confiável com seus filhos.
- Não tenha medo de posicionar-se com autoridade e dizer *não* aos seus filhos sempre que necessário.

Atitude correta

Meu neto de 10 anos é ensinado desde que nasceu com base nos valores bíblicos. Ele frequenta a igreja com os pais, conhece a Bíblia, ora e leva uma vida baseada nos princípios das Escrituras. Meu neto não frequenta uma escola cristã; por isso, a influência que recebe dos amigos da escola é bem diferente dos parâmetros que ele tem em casa. Porém, vejo que o posicionamento dos pais, o diálogo que mantêm com ele, o acompanhamento e a interação que possuem em família fazem que, apesar da influência dos amigos, suas convicções prevaleçam sobre o que o menino ouve, vê ou aprende fora de casa. Tenho visto meu neto rejeitar filmes e entretenimentos que não estão de acordo com os princípios familiares, mesmo que sejam aceitáveis entre outras crianças de mesma idade. Os pais o têm ajudado a formar um caráter sólido e a desenvolver discernimento para escolher o que é correto e afastar-se do que é errado.

Atitude errada

Conheço uma família que educou seus filhos nos princípios e valores cristãos desde pequenos. Em um certo momento, eles precisaram mudar de cidade. Infelizmente, não encontraram na nova região amizades que compartilhavam os mesmos princípios; ao contrário, eram más influências. Os pais não conseguiram barrar os novos laços de amizade, o que culminou com a absorção por parte dos filhos de atitudes indesejáveis e que os pais não aprovavam. Aqueles pais não foram firmes e, em razão do descuido, acabaram deixando seus filhos como alvos fáceis de pessoas que não estavam acostumadas a viver sob uma conduta digna e respeitosa. Por isso, é importante que os pais acompanhem de perto as amizades dos filhos e exerçam autoridade para afastá-los de más influências sempre que necessário.

Como lidar com a influência de televisão, cinema, literatura, *video games* e outras mídias

Tudo o que a criança consome como informação lhe afeta o desenvolvimento, a personalidade, o modo de pensar, a postura e o caráter. Isso inclui livros, *websites*, *blogs*, revistas, filmes, seriados, jogos, programas de televisão, redes sociais e outros. Quando pequena, seu cérebro está preparado, com milhões e milhões de conexões entre os neurônios, para receber e assimilar qualquer ideia que lhe seja comunicada. Conforme o processo cognitivo da criança se desenvolve, esses conteúdos ficam arquivados no consciente, no subconsciente e no inconsciente e modelam o seu comportamento como um todo.

A mente consciente é a que utilizamos na maior parte do tempo para pensar, raciocinar, tomar decisões e agir de forma lógica. É onde se desenvolvem a inteligência, a personalidade e o caráter. O subconsciente, por sua vez, tem duas funções básicas: afastar do perigo ou aproximar do prazer. Ele é o encarregado de gerenciar as funções fisiológicas do organismo, como a respiração enquanto se dorme. Já o inconsciente é a parte mais emocional, afetiva, impulsiva e sentimental da mente humana, por meio do qual temos acesso às lembranças armazenadas no cérebro. Todos esses três níveis do pensamento são influenciados pelo que absorvemos pelos sentidos.

Se uma criança recebe informação negativa, agressiva, imoral e distorcida o tempo todo, certamente verá o mundo por meio dessas lentes. Isso acontece porque ela enxergará, interpretará e julgará a realidade que a cerca pelo repertório que sua mente adquiriu. É interessante frisar que a criança, quando pequena, ainda não tem uma noção muito clara do que é ficção e realidade. Diante disso, os pais precisam ter muito cuidado com aquilo a que assistem e consomem na presença delas.

Caso seu filho tenha 5 anos e veja, por exemplo, uma criatura monstruosa em um filme de terror, não terá capacidade de racionalização suficiente para chegar à conclusão de que se trata apenas de um ator, com maquiagem e efeitos especiais de última geração. Da mesma forma, não saberá que uma cena de violência explícita é criação fictícia baseada em um roteiro e na atuação de atores e figurantes.

Se uma criança recebe informação negativa, agressiva, imoral e distorcida o tempo todo, certamente verá o mundo por meio dessas lentes.

Para não correr o risco de "violentar" a mente de seu filho com conteúdo que ainda não está de acordo com a idade dele, observe a classificação etária dos filmes. Isso não exclui, obviamente, uma prévia avaliação por parte dos pais. Mesmo os filmes com classificação indicativa baixa, de 10 a 12 anos, devem passar pelo crivo de qualidade estabelecido pelo pai e pela mãe.

Os estágios do desenvolvimento humano segundo Piaget	
1º período Sensório-motor Faixa etária: 0 a 2 anos	É o período no qual acontece a coordenação dos movimentos físicos e o reconhecimento do mundo externo. A criança não é capaz de criar representações simbólicas.
2º período Pré-operatório Faixa etária: 2 a 7 anos	Pensamento egocêntrico e não lógico. Amadurecimento da linguagem e desenvolvimento da memória e da imaginação. Raciocínio por intuição.

Os estágios do desenvolvimento humano segundo Piaget	
3º período Operações concretas Faixa etária: 7 a 12 anos	A criança se torna cada vez mais consciente da opinião do outro e capaz de mostrar um pensamento lógico (número, peso, volume, área, entre outros), porém limitado à realidade física. Sem capacidade para um raciocínio muito elaborado e com grandes abstrações.
4º período Operações formais 12 anos ou mais	A criança é capaz de criar hipóteses e proposições. Pensamento lógico com capacidade de abstração e raciocínio ilimitado.

Existem diversas teorias que buscam compreender os processos e fases do desenvolvimento humano, isto é, a forma como cada pessoa interpreta a realidade que a cerca nas diferentes idades e interage com ela. A teoria de Jean Piaget, considerado um dos principais pesquisadores na área da educação e pedagogia, segue um esquema que pode auxiliá-lo a entender seu filho nas diferentes etapas de seu crescimento.[1] As faixas etárias são apenas referências, pois não representam necessariamente um processo rígido. O início e o término de cada estágio podem ser diferentes em cada indivíduo.

Os problemas que o consumo de mídias indevidas pode provocar em uma criança são muitos e com implicações variadas, desde o estabelecimento de um caráter corrompido até uma personalidade violenta, irritadiça, desonesta, imoral, escandalosa e impaciente. O entretenimento midiático e a publicidade provocam uma forte atração no consumidor, que acaba vendo aquela ideia e aquele conceito como referenciais de comportamento.

Obviamente, nem tudo é ruim; há muita informação interessante e divertida nas diversas mídias. Não podemos ser radicais a ponto de achar que tudo é prejudicial. No entanto, é importante estar com os olhos bem abertos para avaliar o tipo de conteúdo com o qual deixamos nossos filhos se alimentarem. Você não daria comida estragada para o seu filho, pois isso faria um grande mal para o corpo dele. Da mesma forma, não deixe que seu pequeno se alimente com conteúdo nocivo, pois isso trará danos para a mente dele.

Pais verdadeiramente responsáveis devem acompanhar aquilo que alcança os filhos por meio de livros, cinema, televisão, músicas, aplicativos de celular, Internet e tudo mais, porque são plataformas nas quais são propagados estilos de vida e modelos de relacionamentos muitas vezes inadequados para eles, conforme o padrão de comportamento que possuem em casa. É preciso supervisionar.

> *Pais verdadeiramente responsáveis devem acompanhar aquilo que alcança os filhos por meio de livros, cinema, televisão, músicas, aplicativos de celular, Internet e tudo mais.*

Eu prefiro a palavra *supervisionar* em lugar de *controlar*, porque *supervisão* carrega implícito o conceito de que os pais estão atentos ao que os filhos fazem, mas sem cair no erro de serem ditatoriais ou rudes. Lembre-se de que a firmeza, em vez da violência, é o melhor caminho para manter os canais de comunicação e confiança abertos entre você e seu filho. Caso perceba que determinado programa de TV é inadequado, seja firme e diga *não*, mas lembre-se de explicar os motivos que o levaram a isso. Aja com autoridade e estabeleça os limites.

Pai e mãe devem decidir o tempo-limite para a utilização de cada mídia. Deixar os filhos assistirem à televisão quanto e quando quiserem é uma atitude totalmente errada, que, sem dúvida, trará consequências desagradáveis e difíceis de contornar no futuro. É extremamente prejudicial, inclusive para a saúde do casal, deixar o filho pequeno ou adolescente diante da televisão, do computador, do *tablet* ou do celular até tarde. O casal precisa de tempo livre para que possa dedicar-se um ao outro e manter a intimidade.

A criança, por sua vez, necessita de uma rotina na qual estejam delineados os horários para as diferentes atividades que desenvolverá ao longo do dia: hora de acordar, ir para a escola, brincar, passear, ver televisão, tomar banho, comer, ouvir historinhas, dormir e tudo mais. Os pais podem até pensar que isso soa muito controlador, mas digo-lhes, por experiência, que a criação da rotina é extremamente benéfica para toda a família. E isso vale também para adolescentes.

O poder do diálogo e da proximidade

Caso seu filho fique deslocado demais em relação aos outros amigos que consomem determinados programas de televisão, músicas, livros e outros produtos da mídia e comentam sobre eles, isso precisa ser resolvido não com permissividade, mas com diálogo e proximidade.

A vontade que prevalece sempre deve ser a dos pais, porque eles são os responsáveis pela educação da criança. É claro que, se são muito radicais e consideram que tudo é errado, podem correr o risco de enclausurar o filho dentro de uma bolha de proteção, fazendo que ele se sinta completamente deslocado dos demais colegas. Portanto, tenha bom senso e saiba avaliar a situação. Se você conversa com seu filho, compartilha princípios sólidos e demonstra coerência e amor em seu relacionamento com ele, certamente a criança terá a certeza de que, se papai ou mamãe proibiu algo, aquilo não é bom.

Valores fundamentais são questionados e relativizados em nossos dias, por isso os filhos precisam de posturas firmes, que contenham fundamento, para que se sintam seguros e se posicionem contra conceitos ou opiniões que não estejam de acordo com os princípios que lhes foram ensinados pelos pais.

Sou a favor do diálogo — um diálogo no qual se estabeleçam os motivos das proibições ou restrições. Se o diálogo funcionar, ótimo; se o diálogo não funcionar, porque não foi possível entrar em acordo, faz-se necessário aplicar a restrição por meio da rotina e dos horários estabelecidos para o uso de mídias. Se a restrição também não funcionar satisfatoriamente, aí, sim, deve-se partir para a proibição categórica. É uma questão de critério, bom senso e paciência. A ordem é:

Dialogue → Restrinja → Proíba

Especialmente na adolescência, o ser humano já possui mais critério para avaliar se um conteúdo de fato é bom ou não. Se o seu filho estiver nessa fase, você pode ter mais confiança nas escolhas individuais dele, levando em consideração se ele demonstra consistência e maturidade. Essa postura será resultado direto da instrução, do acompanhamento e da supervisão que você, pai ou mãe, pôs em prática desde a primeira infância dele.

Na medida do possível, assista, jogue, leia e esteja junto com seu filho na hora de utilizar alguma das mídias. Se não houver condições para isso, pelo menos saiba o que ele vai consumir como entretenimento. É importante que nessa supervisão haja diálogo, uma sadia troca de ideias e uma proximidade que demonstre real preocupação, carinho e amor por ele. Ao participar dessas atividades com a criança ou o adolescente, você poderá observar de perto as situações que surgirão. Dessa forma, você, pai ou mãe, terá uma forma eficaz de analisar qual é o critério de avaliação de seu filho, se esses parâmetros estão de acordo ou não com o que você pensa e se ele está realmente aprendendo ou se precisa de mais supervisão.

Essa aproximação pode ser benéfica, inclusive, nos casos em que você perceber que determinado conteúdo impactou seu filho de maneira negativa, independentemente de o terem consumido em sua presença ou não. Muitas crianças ficam traumatizadas com determinadas cenas a que assistem e acabam desenvolvendo angústia e medos; outras podem ser induzidas a um comportamento hostil e agressivo. As possibilidades são variadas. Caso tenha percebido qualquer influência ou impacto negativo em seu filho, aproxime-se dele, converse, faça-o expor o que o está incomodando e ofereça-lhe colo, entendimento, conselhos e orientação.

Como evitar o consumo escondido do que é proibido?

É bastante comum o impulso de fazer coisas escondido dos pais; isso faz parte da índole da criança, do adolescente e do ser humano em qualquer idade. No entanto, se o pai estabelece um relacionamento aberto, de confiança, diálogo e amizade, essa característica pode ser diminuída ao máximo. Ser alvo da confiança de um filho é muito importante, e isso não se faz em um dia; é um processo que leva anos e começa muito cedo.

A falta de tempo é um dos grandes problemas do século 21 no que diz respeito à família e à educação dos filhos. Hoje, papai e mamãe muito provavelmente trabalham fora, estão superocupados e não têm espaço na agenda para checar o que está à disposição do filho nas diferentes mídias. Se têm tempo, costuma ser pouco e permeado de estresse e má vontade. Infelizmente, trata-se de uma realidade de nossos dias.

Diante de tantas demandas, é preciso ter bem claro que a educação dos filhos deve ser considerada prioridade máxima. Portanto, os pais precisam organizar a vida, a rotina e o horário de trabalho. Pelo bem de seus filhos, aprendam a recusar tarefas e compromissos que eventualmente apareçam. Além disso, procurem também superar o cansaço e abrir mão de alguns convites para reuniões sociais, pois assim poderão interagir, conhecer e observar seus filhos de perto. Com isso, será possível identificar se estão alegres, tristes, eufóricos, nervosos ou irritadiços, e conferir como está o caráter deles e se têm desenvolvido um relacionamento pessoal com Deus.

> *Diante de tantas demandas, é preciso ter bem claro que a educação dos filhos deve ser considerada prioridade máxima. Portanto, os pais precisam organizar a vida, a rotina e o horário de trabalho.*

Na sociedade das demandas urgentes, em que tudo precisa ser automático e rápido, mesmo que seja ruim e sem profundidade, é grande o número de pais que têm delegado a educação dos filhos a terceiros. Pais e mães pagam para que outras pessoas cuidem de seus filhos, e isso traz muitas consequências negativas para as crianças e os adolescentes. Uma delas, inclusive, é o afastamento de Deus.

Parece-me que princípios e valores sólidos ficaram relegados a outras épocas; os pais não dedicam mais tempo ao lar, à família e aos filhos. É tudo em função do que é mais prático, imediato, lucrativo e socialmente agradável. A grande questão é que a educação dos filhos e o desenvolvimento de laços fortes e duradouros não podem entrar nessa roda-viva, pois são tarefas sublimes, mas que dão trabalho e exigem empenho, dedicação e investimento, inclusive de tempo.

Seu filho precisa de você e, a menos que esteja atento a isso, é ele quem corre os riscos. A decisão é sua.

Em poucas palavras

- Não deixe seu filho o tempo todo diante da televisão, do computador, do celular e de aparelhos similares. Ele precisa desenvolver outras atividades que exijam movimento físico e interação social.
- Monitore o tipo de conteúdo que seu filho consome.
- Tenha o cuidado de não assistir na frente de seu filho a conteúdo violento ou inapropriado para a faixa etária dele.
- Converse com seu filho sobre os programas a que ele assiste e estimule-o a ter uma visão crítica dos conteúdos. É importante frisar que visão crítica não significa sempre encontrar algo negativo, mas, sim, avaliar de forma rica e contextualizada todo tipo de mensagem ou ideia transmitida. Para essas conversas, no entanto, considere a faixa etária e a maturidade de seu filho.

Atitude correta

Conheço pais que, depois de observarem as influências maléficas dos eletrônicos sobre os filhos quando não colocaram limites, passaram a mudar sua atitude e estabelecer horários, rotina e seleção dos *games* dentro da faixa etária de cada um. É natural que demore um tempo para os pais compreenderem plenamente as novidades eletrônicas, já que a invasão tecnológica está acontecendo de maneira surpreendente em todos os lares, para crianças e adultos. Leva um tempo para aprenderem a lidar com esse novo elemento nas famílias — que muda tudo, literal e radicalmente.

Atitude errada

Um casal tinha dois filhos, um com 5 anos e a outra, uma bebê de colo. Os pais trabalhavam fora, tinham uma vida corrida e pouco tempo, na volta para casa, para dedicar aos filhos e às tarefas domésticas do dia a dia. Como consequência, chegavam em casa e, depois do banho, o menino ficava por horas jogando *games*. Não saía nem para comer, pois a mãe dava de comer na boca enquanto ele jogava. Os *games* eram de luta, falados em japonês. Acredite ou não, o menino falava japonês junto com os personagens! Tudo isso interferia muito no vocabulário em desenvolvimento da criança. Quando mudei a rotina e tudo o que tinha a ver com esse vício, aquele garoto teve a reação de um viciado, com demonstrações claras da síndrome de abstinência.

6 Como lidar com a influência da propaganda e outras ferramentas da sociedade de consumo

Propagandas são produzidas com a intenção de convencer o público, infantil ou não, a comprar o que está sendo anunciado. Todos os dias, milhares de profissionais, em milhares de agências de publicidade, dedicam-se exclusivamente a elaborar formas de anunciar os produtos de seus clientes de forma atraente, curiosa, que chame a atenção dos olhos e desperte o desejo de compra. As mensagens que chegam aos nossos filhos pelas diferentes ferramentas utilizadas pelos profissionais de propaganda e *marketing* causam grande impacto sobre eles e fazem que as crianças sejam bastante influenciadas pelos ditames da sociedade de consumo. Ninguém escapa incólume da pressão realizada pela mídia, pela moda e pelo *status quo*. Mas o pai e a mãe podem e devem ajudar os filhos a reconhecer o próprio valor, a despeito do que possuem, sem desenvolver uma mentalidade consumista e sendo responsáveis financeiramente.

É comum chegar em casa e ver que as crianças ficaram sentadas durante horas em frente à televisão, assistindo a desenhos, programas infantis e, naturalmente, muitos e muitos minutos de publicidade. São comerciais sedutores, coloridos e agitados, com músicas, rimas, magia e a promessa de muita diversão. Elas são um alvo fácil, pela capacidade natural de se deixar convencer. Essa exposição à publicidade influencia grandemente a maneira de pensar dos pequenos, o que afeta sua forma de enxergar o que está nas prateleiras e vitrines das lojas e de lidar com o que possuem. Não é raro depararmos com crianças com profundo sentimento de insatisfação por não poder ter aquilo que está sendo anunciado de maneira tão atraente.

Blindar nossos filhos, no entanto, é muito difícil, quando não, negativo. Privar seu filho de assistir à televisão, acessar a Internet ou ler uma revistinha é um contrassenso. Não é aprisionando e superprotegendo a criança que se conseguirá forjar nela um caráter forte. Há formas mais eficazes e inteligentes para isso.

Uma delas consiste em diminuir e controlar os efeitos que as propagandas podem produzir, mediante organização e estabelecimento de uma rotina, com tempo supervisionado para os diferentes tipos de programas que as crianças gostam ou a que querem assistir. É importante considerar que elas precisam alternar a televisão, a Internet e o *video game* com outro tipo de atividade que não consista em ficar na frente de uma tela, como uma esponjinha, absorvendo tudo o que está sendo transmitido.

Esse ponto é fundamental, pois muitos pais se acomodam, aproveitando o fato de que a televisão entretém o filho e o mantém caladinho por bastante tempo. Por isso, preferem deixá-lo no sofá de casa, por conta própria, absorvendo tudo o que entra pela tela direto na mente dele, em vez de criarem outras formas de entretenimento e diversão. E isso está errado.

Se o seu filho tem passado a maior parte do tempo livre assistindo à televisão ou navegando na Internet, está na hora de acordar, pois ele está sendo mais influenciado por terceiros do que por você e seu cônjuge.

Você já parou para analisar quantas horas por semana seu filho passa na frente da televisão? E na sua companhia e na de seu cônjuge? O que dita a forma de pensar dele é o *slogan* da propaganda e a moral do desenho animado ou o que papai e mamãe dizem ao lhe dar atenção exclusiva todos os dias? Se o seu filho tem passado a maior parte do tempo livre assistindo à televisão ou navegando na Internet, está na hora de acordar, pois ele está sendo mais influenciado por terceiros do que por você e seu cônjuge.

Dedique tempo de qualidade a ele, inclusive assistindo aos programas de que ele gosta; assim, você terá a oportunidade de educar e transmitir conceitos, princípios e valores, concordar ou discordar do que estão vendo na televisão e explicar-lhe os porquês que surgirem. Por exemplo, realçar as virtudes de um super-herói ou criticar a postura dos vilões é um ótimo meio de transmitir aos pequenos ideias e conceitos, em uma linguagem que eles certamente entenderão. Analisar as tendências impostas e avaliar o que os comerciais estão tentando comunicar é um caminho bastante eficiente para despertar o senso crítico nas crianças.

É claro que a profundidade de cada conversa precisará estar de acordo com a faixa de idade de seu filho. Crianças pequenas não vão entender plenamente se você lhes explicar o que é e para o que serve uma propaganda e que elas não precisam obedecer a todos os impulsos e vontades que sentem ao ver um anúncio. Conversas desse tipo funcionarão melhor a partir da faixa dos 7 anos, quando elas começam a ter um raciocínio diferente e pensar de forma mais abstrata. Na faixa dos 9 a 10 anos, já estão mais amadurecidas e conseguem ter uma compreensão mais factual.

Como filhos pequenos não conseguem diferenciar a realidade das promessas da propaganda, o melhor para os pais é estabelecer limites e impor uma rotina, restringindo o tempo dedicado à televisão. É importante frisar que o tempo de sobra deve ser preenchido com outro passatempo, como jogar bola, sair para dar uma volta, tomar um sorvete, andar de bicicleta e atividades similares. Se você adotar a postura injusta de cortar a televisão e não colocar nada no lugar, isso vai entediar a criança, o que não é bom. A atitude mais acertada é mostrar que ela não pode fazer uma coisa, mas pode fazer outra. Você pode dizer algo como: "O papai não quer que você passe horas na frente da televisão todo dia, mas você pode se divertir com outras atividades legais também, jogando um pouquinho de bola, lendo um pouquinho...".

Muitas vezes, porém, a propaganda vai despertar na criança o desejo de consumir algo. Naturalmente, você não terá como comprar tudo o que ela quiser, o que vai exigir que saiba como negar o desejo de seu filho. Todo pai e toda mãe conseguem perceber quando a situação está fora de controle e ultrapassa o limite do bom senso. Se o seu filho é do tipo que quer tudo a todo custo, posicione-se e diga-lhe *não*. Muitas vezes, a melhor resposta é: "Você já tem outro parecido", porque a criança pode falar: "Eu tenho dez bonecos, mas não tenho aquele que está sendo anunciado para o Dia das Crianças. Eu quero *aquele*". Caso seu filho ganhe cinco carrinhos por mês, pode ter certeza de que já não é grande novidade ganhar mais um. Portanto, saiba dizer *não* com convicção e autoridade. Se a criança faz birra (teimosia) ou manha (choro sem motivo), permaneça firme e logo a cena passará. Ao longo dos anos, tenho compartilhado um método para lidar com esse tipo de situação.

Pode ser que demore um tempo até que a birra ou a manha passe. Se isso ocorrer, não se desespere; apenas ignore e saia de perto, pois a intenção da criança é chamar sua atenção. Fique tranquilo, pois toda a agitação vai passar e, quando isso acontecer, ela virá até você. Nesse momento, dê um beijo e um abraço nela, sem tocar no assunto. Jamais faça a vontade de seu filho como resposta à manha ou à birra. Isso é fundamental, embora, muitas vezes, exija autocontrole e paciência.

Muitos pais têm medo de que os filhos fiquem traumatizados ou com vontade de alguma coisa. O que precisam compreender é que a criança terá vontades muitas vezes na vida, mas nem sempre poderá comer o que quer e fazer o que quiser na hora em que bem entender; então, é melhor que já se acostume, desde pequena, que nem sempre as coisas funcionam desse jeito. Tome a decisão que julgar mais adequada, se vai comprar o produto ou

> *Jamais faça a vontade de seu filho como resposta à manha ou à birra.*

não. Caso sua posição seja negativa, deixe a criança reagir da maneira que quiser, com birra ou manha, jogando-se no chão ou fazendo qualquer outra coisa, porque ela vai entender sozinha que você é irredutível na postura que está tomando.

Outra possibilidade interessante para lidar com a influência da publicidade é utilizar o método do incentivo, aproveitando as épocas sazonais, como o período de Natal, o Dia das Crianças ou o aniversário de seu filho. Aproveite essas datas para dar-lhe algo que ele queira de presente e como incentivo por um bom comportamento ou um resultado satisfatório na escola. Dessa forma, ele terá um estímulo a mais para portar-se bem e terá um gostinho especial quando enfim estiver com o tão sonhado presente em mãos. Isso é importante, pois a criança que tem tudo o que quer de forma extremamente fácil não valoriza o que tem.

Vivemos em uma sociedade que prega o consumo a todo momento. O ser humano passou a ser valorizado, avaliado e considerado por aquilo que possui. Essa mentalidade, infelizmente, atinge crianças e adultos. Quando pai e mãe assumem essa postura consumista, isso acaba afetando seus filhos. A criança aprende a interagir na sociedade por imitação: elas, em geral, são reflexo dos pais. Se pai e mãe são altamente consumistas e a criança vê isso em casa — por exemplo, com compras excessivas de roupas e sapatos quando já possuem um armário repleto e sem uso ou trocas constantes de automóvel —, ela logo assimilará esse comportamento como padrão. Para evitar que isso aconteça, faça uma autoavaliação e observe se você mesmo não é refém da sociedade de consumo. Ao mudar sua atitude, você terá autoridade legítima para transmitir a seu filho moderação e equilíbrio quando o assunto for consumir.

Tenha em mente que este é o tempo de formar e educar seu filho. Chegará o dia em que ele tomará decisões individuais e gerenciará as próprias contas de forma independente. Nesta fase da vida, ele está aprendendo, pelo seu exemplo, o que significa ser financeiramente saudável e equilibrado.

Influência da moda e dos amigos

Embora as crianças de hoje aprendam tudo de forma muito precoce e rápida, ainda assim não dá para explicar-lhes plenamente o que é moda, pois esse é um conceito abstrato. Essa ideia vai sendo amadurecida com o tempo, à medida que crescem e aprendem a gostar de certos acessórios e roupas. Isso não é uma exclusividade das meninas, pois meninos também querem escolher as roupas e peças que mais combinam com eles. Essa ideia, aliás, é aprendida muito cedo: "combina com a camisa", "combina com os sapatos" e "combina com a tiara", por exemplo. Esse é um comportamento assimilado ao observar os adultos, a televisão, as revistas e a sociedade. Ao analisar todo esse entorno, as crianças acabam compreendendo, de forma natural, o que é moda. Daí, optam por um estilo para ir à escola ou à igreja, para jogar bola ou para ficar em casa.

É preciso destacar que a moda, em si, não é algo ruim; afinal, todo ser humano gosta de sentir-se bem, adaptado, ajustado e aceito. Dificilmente alguém vai ao trabalho, hoje, com as mesmas roupas que usava meio século atrás.

Diante da moda e suas imposições, precisamos despertar em nossos filhos a capacidade de julgar o que convém e escolher o que é realmente bom e positivo para eles, independentemente da pressão externa que sofrem.

O que acontece é que, diante da moda e suas imposições, precisamos despertar em nossos filhos a capacidade de julgar o que convém e escolher o que é realmente bom e positivo para eles, independentemente da pressão externa que sofrem. A questão da moda pode ser algo bastante difícil, já que eles recebem uma influência muito grande de todos ao seu redor, em relação ao que fazem, falam e escolhem como estilo de vida, postura e vestimenta. Por isso, às vezes, acontece um choque entre o que a moda dita e a orientação dos pais. Diante disso, é preciso que os adultos tenham paciência e tato para lidar com a situação.

Quando meus filhos estavam no início da pré-adolescência, jaquetas com gola de pele estavam na moda entre os jovens. Eu e meu marido achávamos aquela peça de roupa muito feia, por isso não compramos nenhuma jaqueta desse tipo para eles, apesar de toda a insistência deles. Não tivemos a sensibilidade de perceber que todos estavam usando e não havia nada de mais em satisfazer o desejo dos meninos, que ficaram muito chateados.

Hoje, meus filhos são adultos, pais de família, mas ainda se lembram que não lhes demos aquilo que tanto queriam e que todo mundo usava. Esse é o ponto de cuidado: na época, meu esposo e eu tomamos a firme decisão de não comprar, pois queríamos lhes ensinar bom gosto. Hoje, olhando para trás, percebo que poderíamos ter sido mais flexíveis e ceder nesse episódio. Por isso, preste atenção e avalie bem se você não está sendo insensível com seu filho. Só depois tome uma posição firme.

Pedidos absurdos, que firam valores estabelecidos, fujam da realidade financeira da família ou não sejam aceitáveis pelo bom senso não devem ser atendidos. Famílias que seguem padrões bíblicos também devem levar em consideração se o que o filho quer está de acordo com a conduta aprovada pela Bíblia. A Palavra de Deus, sem dúvida, é um importante suporte para colocar limites. Quando você diz a seu filho "não, porque não gosto", é uma coisa; outra totalmente diferente é quando você lhe diz "não, porque a Bíblia diz que não".

A criança pode argumentar: "Mas o meu amigo..."; "A mãe do fulano deu para ele..." e coisas assim. Diante disso, você poderá dizer: "Nós seguimos as normas da Bíblia, que exprimem a opinião de Deus, e existem outras pessoas que pensam de igual maneira. Nós amamos a Deus e queremos obedecer-lhe. Então, filho, não se baseie no que seu amigo diz, mas, sim, no que Deus ensina e no que papai e mamãe falam para você todos os dias". É importante ensinar os filhos a buscar amizades que compartilhem dos mesmos valores e princípios que eles. Isso não quer dizer que vão assumir uma postura preconceituosa ou exclusivista, de maneira nenhuma; eles apenas evitarão a sensação de "peixe fora d'água".

Fato é que ninguém tem de fazer, consumir, usar ou vestir o mesmo que os amigos. Principalmente na adolescência, o jovem quer fazer parte do grupo e ser igual aos outros. Nesse sentido, a influência do meio é muito grande. Se observarmos os adolescentes que andam pelas ruas, é fácil perceber que eles estão praticamente uniformizados. Essa é uma fase delicada, na qual estão firmando a personalidade, estabelecendo a identidade, além de estarem passando por muitas mudanças físicas, emocionais e mentais. Tudo isso é muito confuso e gera uma série de conflitos em seu mundo. Ser igual aos outros, nesse período, facilita a vida, já que os amigos da mesma faixa de idade também vivenciam transformações semelhantes. Por isso, eles preferem se unificar e padronizar a parte externa, a fim de se sentirem mais fortes. Não seja simplório ao cair em jargões que dizem que o adolescente é *aborrecente*. A adolescência é uma fase de transição e de mudanças significativas na vida de uma pessoa.

Por essa razão, é importante que você saiba dosar bem as suas decisões quando houver conflitos com filhos nessa faixa de idade. Nem tudo pode ser levado a ferro e fogo. Lembre-se que o diálogo é sempre o melhor caminho para transmitir a sua posição. Procure entender seu filho. Caso ele discorde de sua ideia de moda, converse, troque opiniões e seja maleável quando a situação não envolver algo vexatório ou indecente. Esforce-se para não provocar discussões ou criar caos por qualquer bobagem.

O valor do dinheiro

É muito importante ensinar os filhos a reconhecer o valor das coisas e a lidar com o dinheiro desde cedo. O consumismo, na verdade, sempre vai orientar para uma direção contrária a isso, porque, quando você consome muito, acaba comprando por impulso, sem avaliar nem mensurar o que de fato está sendo investido naquela nova aquisição.

Gastar dinheiro está relacionado ao tempo. Se você ganha 25 reais por hora de trabalho e gasta 100 reais cada vez que sai com seu filho para ir ao supermercado, estará investindo 4 horas de trabalho naquilo. Há uma dose de suor nesse investimento. É óbvio que investir em passeios e momentos de lazer e compras com seu filho é muito bom, mas, quando isso se torna uma constante, uma compulsão ou simplesmente uma manha que deve ser satisfeita a todo momento, os efeitos negativos se manifestarão quando ele tiver de se relacionar sozinho com o dinheiro.

Uma maneira eficaz para educar seu filho a controlar os gastos é dar-lhe uma mesadinha. Para que essa estratégia funcione, você terá de levar em consideração a idade dele. A mesada deve ser dada a partir do momento em que a criança aprender a contar. O valor e o tempo devem ser definidos de acordo com a faixa etária. A criança não tem real noção de tempo quando é muito pequena. Não adianta você dar determinada quantidade de dinheiro para ela usar durante um mês, pois, para ela, trinta dias são um período interminável. Quando seu filho estiver com idade entre 6 e 7 anos, poderá receber uma quantia maior de dinheiro. Comece com uma semana, por exemplo, nos dias em que vai à escola, de segunda a sexta. Assim, seu filho associará a mesada aos dias de aula e às coisinhas que pode comprar lá. À medida que ele crescer, você poderá aumentar não apenas o valor, mas o prazo também. Na faixa dos 10 anos, já dá para trabalhar com um mês.

Ao definir o valor, deixe claro que aquilo é para passar o mês inteiro e que, se ele gastar antes do tempo, não vai adiantar pedir mais. Assim, seu filho vai aprender a lidar com a mesada com responsabilidade e, mesmo sendo criança, entenderá que não é fácil ganhar dinheiro. No começo, é possível que ele se perca um pouquinho. Aí você terá a chance de ensiná-lo e instruí-lo. Trata-se de uma dinâmica bastante gratificante para todos.

Pode ser uma situação difícil se você não tem condições de dar mesada para seu filho e ele fica triste por não usar produtos de marcas famosas como os amigos. Nesse caso, a criança ou o adolescente custa a entender que, às vezes, não lhe damos algum presente ou dinheiro em virtude de um aperto financeiro. Independentemente de sua disponibilidade financeira para comprar grandes marcas ou não, há um princípio importante a ensinar aos seus filhos, que influenciará a forma dele de lidar com as pressões vindas do convívio escolar ou da publicidade: é o princípio de "ser agradecido em qualquer situação".

A mesada deve ser dada a partir do momento em que a criança aprender a contar. O valor e o tempo devem ser definidos de acordo com a faixa etária.

A gratidão não está ligada ao preço, nem ao tamanho de determinado bem, mas, sim, ao reconhecimento de que o que temos é dádiva e precisa ser valorizado. Agradecer por um carro novo é muito mais fácil do que agradecer por um pedaço de pão que está disponível à mesa de casa todos os dias. Todavia, o valor dessas pequenas bênçãos precisa ser trazido à tona. Agradecer ao redor da mesa, por exemplo, é um bom exercício para levar as crianças a enxergarem a diversidade de bênçãos que as rodeiam: a vida, a família, o ar que respiram, a cama quentinha, o animalzinho de estimação, a companhia do papai e da mamãe. Quando crescem em um ambiente assim, elas desenvolvem uma consciência grata por tudo o que possuem, mesmo não sendo tudo o que desejam.

Seus filhos devem estar aptos a reconhecer que, embora não tenham o tênis de marca que está na moda e que o colega possui, eles têm um par de sapatos legal, que lhes permite ir à escola e mantém seus pés aquecidos no frio. É importante que o pai ensine isso aos filhos desde pequenos. Talvez esse seja o caminho mais difícil, mas é o que está na Palavra de Deus. O apóstolo Paulo escreveu que aprendeu a estar contente em qualquer situação, na fartura e na escassez (Fp 4.11-12). E estar contente não significa viver dando risada ou saltitando de alegria; significa, isso sim, aceitar e ser grato por tudo o que Deus nos proporciona. Essa postura precisa ser ensinada aos filhos, tanto verbalmente quanto pelo comportamento diário. A criança precisa ver isso nos pais.

Mídia, publicidade e moda não precisam ser vistas necessariamente como vilãs. Elas são criações sociais e têm um papel a cumprir. Nem tudo é mau, prejudicial e negativo. Como tudo na vida, cabe a você saber lidar com isso e, como pai ou mãe, mais experiente que seu filho, transmitir-lhe a experiência de forma que ele interprete as mensagens que recebe e tire conclusões coerentes.

Em poucas palavras

- Determine uma rotina para seus filhos, com períodos definidos para assistir à TV, acessar a Internet e atividades similares.
- Estabeleça limites sem medo. É pelo bem de seus filhos.
- Dê o exemplo daquilo que quer ensinar a seus filhos por meio de seu testemunho diário. Dialogar é bom, mas o exemplo é muito melhor.
- Ensine seu filho a lidar com o dinheiro. Utilize a estratégia da administração da mesada para isso.
- Seja grato por tudo o que tem e ensine esse princípio aos seus filhos.

Atitude correta

Um dos meus netos fez sua primeira viagem à Disney World, o que o deixou extremamente empolgado durante meses. Desde que soube que iria para o parque de diversões, decidiu que queria comprar algumas coisas que vira na propaganda da televisão. Por isso, administrou bem sua mesada e economizou. Ele pediu que lhe déssemos dinheiro em seu aniversário e no Natal para que pudesse juntar e gastar quando estivesse lá. Meu neto não deixou a responsabilidade de comprar o que queria apenas para os pais, mas reconheceu que poderia alcançar seu objetivo por mérito próprio e se esforçou para isso.

Atitude errada

Tenho visto muitos pais que passaram necessidades na infância e não tiveram tudo o que queriam quando eram pequenos. Por isso, agora, fazem todas as vontades de seus filhos. Não conseguem impor limites, tornam-se permissivos e nunca dizem *não*. Cada dia é um carrinho novo, uma boneca nova, um celular ou qualquer novidade que aparece nas propagandas. Além de ser extremamente negativo para a criança, tal atitude pode colocar a família em dificuldades financeiras, seja por acúmulo de dívidas, seja por simplesmente não pouparem dinheiro que poderia ser investido com mais qualidade. Jamais façam isso, papai e mamãe: eduquem seu filho dentro dos limites que vocês têm e deem a ele o melhor que podem dar — principalmente, disciplina e limites às vontades.

7
Como lidar com a influência da Internet

A Internet revolucionou a forma de produzir e transmitir informação e conhecimento. Hoje, com apenas um clique, qualquer pessoa pode transpor fronteiras imensas e acessar conteúdos produzidos do outro lado do globo com rapidez e agilidade. Ferramenta útil para o trabalho, os estudos e o lazer, a rede mundial de computadores entrou nas casas para ficar, como parte do dia a dia de todos os membros da família, sejam adultos ou crianças.

Para quem tem mais idade, a Internet e todo o aparato que engloba o mundo virtual ainda parecem muito novos: *websites*, *blogs*, redes sociais, mensagens instantâneas, vídeos com milhões de acessos e anônimos que viram celebridades com apenas uma câmera de celular na mão e um canal no YouTube. De repente, o jantar de família está publicado na rede mundial e o perfil de seu filho no Facebook é acessado e curtido por uma infinidade de pessoas que você nem conhece. É um novo paradigma, uma nova dinâmica, um novo mundo que requer nossa atenção.

A Internet é um ótimo recurso, disso ninguém pode discordar. Se utilizada corretamente, permite que uma pessoa tenha na palma da mão acesso a uma quantidade extraordinária de dados que nenhuma biblioteca física jamais conseguiria abrigar. Mas nem tudo são flores. Como um canal de difusão que permite a interação e a publicação de qualquer tipo de conteúdo com extrema facilidade, muita gente veicula materiais nocivos e comete até mesmo crimes virtuais, o que faz da Internet um ambiente potencialmente perigoso. Por isso, é preciso tomar cuidado.

Assim como a televisão, os jornais, as revistas e outros veículos de comunicação de massa atraem audiência, formam opinião e ditam tendências, o ambiente *on-line* também exerce influência sobre todos, inclusive sobre seu filho.

Em nossos dias, as crianças já nascem sob a influência da Internet e todas as novas tecnologias disponíveis em seu contexto habitual, ao contrário dos pais e avós, que vivenciaram a transição do analógico para o virtual. Para poder ajudar o seu filho a utilizar e usufruir com segurança de todos os benefícios que as novas tecnologias oferecem, principalmente a Internet, você precisará conhecer esse mundo e sua linguagem. Não dá para querer monitorar o que seu filho anda consumindo na rede se você não sabe nem acessar a tela inicial do computador!

Além disso, e mais especificamente para aqueles pais que amam navegar na Internet, é essencial exercer domínio próprio ao utilizar essa ferramenta. Digo isso porque existem muitos adultos viciados em Internet, que passam horas a fio navegando em *sites* diversos ou conversando nas redes sociais. Se a criança vê o pai ou a mãe agir assim, logo assimilará esse comportamento também. Caso você não tenha domínio próprio no uso dessas ferramentas, com que moral vai poder exigir o mesmo dela?

> *Existem muitos adultos viciados em Internet, que passam horas a fio navegando em sites diversos ou conversando nas redes sociais. Se a criança vê o pai ou a mãe agir assim, logo assimilará esse comportamento também.*

O uso da Internet por crianças e adolescentes deve ser obrigatoriamente supervisionado por um adulto. O uso das redes sociais, por exemplo, deve obedecer às normas estabelecidas pelas empresas que detêm os direitos dessas plataformas, que restringem o acesso a pessoas de determinadas idades. Em razão do risco inerente que trazem, geralmente essas empresas proíbem o acesso de crianças. O que acontece é que muitos pais deixam o filho pequeno criar páginas, postar fotos e informações pessoais, e expor-se de forma perigosa e inadequada. Se o seu filho não tem idade para acessar responsavelmente a Internet, não deixe que o faça.

Pondere muito bem antes de dar um *smartphone* a uma criança, pois a versatilidade do aparelho torna a supervisão bem mais difícil. O aconselhável é que se espere o momento em que ela saberá raciocinar e entender plenamente os perigos do mau uso da rede mundial de computadores. O *smartphone* abre um mundo de possibilidades e riscos para seu filho; então pense muito bem antes de entregar um desses aparelhos na mão dele. O mesmo acontece com contas de *e-mail*. Se ele não tem idade para administrar com consciência a troca de mensagens, para que ter um?

Caso a criança precise fazer uso da Internet para realizar trabalhos escolares, supervisione e oriente. É claro que a rede tem uma infinidade de recursos didáticos adaptados às crianças, o que é muito útil e positivo. O que não pode acontecer é a escola ou os professores incentivarem uma forma irresponsável de lidar com a ferramenta. Em razão de todas as funcionalidades e facilidades para a pesquisa, muitas instituições não requerem a interação com livros ou a apuração mais detalhada para as atividades escolares, permitindo apenas uma pesquisa *on-line*, a cópia ou a impressão do conteúdo de *sites* ou *blogs*, sem nenhuma leitura ou filtro. Tudo ocorre de modo muito rápido, superficial e sem comprometimento. O resultado é que não acontece nenhum aprendizado. Para que a criança não resvale numa utilização mecanizada e pobre do ponto de vista pedagógico, os pais precisam acompanhá-la e auxiliá-la.

É bastante válido instalar programas de controle e bloqueio de *sites* no computador, porque isso faz parte da supervisão dos pais em relação aos dados que as crianças podem acessar. Isso protege, inclusive, qualquer entrada acidental em páginas com conteúdo inadequado para a idade deles. Se uma criança precisar fazer uma pesquisa escolar sobre o corpo humano, por exemplo, pode acabar entrando em *sites* com imagens fortes, como cirurgias, acidentes, enfermidades ou obscenidades, para as quais não estão preparadas do ponto de vista mental nem do emocional. Às vezes, o sistema de busca indica conteúdo totalmente prejudicial à criança como resultado de uma pesquisa inocente. Isso provoca choques, que podem afetar, inclusive, o desenvolvimento, o amadurecimento e a saúde mental e emocional dos pequenos.

Como qualquer outra atividade, o uso da Internet requer que se estabeleça de uma rotina com supervisão, controle e organização. Não tenho dúvida sobre isso. Mesmo que a criança navegue com outros familiares, o uso deve ser restrito e determinado pelos pais.

Namoro virtual e outros problemas

Quando se trata de namoro, a Internet é ainda mais perigosa, pois não se sabe ao certo quem é a pessoa que está do outro lado. Tenho conhecimento de muitas situações em que se estabeleceu um namoro virtual, e isso levou as pessoas envolvidas a atitudes completamente arriscadas. Por isso, fique junto e acompanhe de perto. Saiba o que seu filho anda acessando e com quem está conversando, mesmo que ele fique bravo e reclame de falta de privacidade. Pela falta de maturidade, ele não tem a real noção dos perigos que envolvem esse ambiente. Intervenha sempre que precisar.

É assustadora a forma como os pedófilos atacam na rede. Eles conseguem envolver a criança numa trama de engano e chantagem. Sem saber como agir, as vítimas não contam para os pais, se aprisionam no medo e ficam reféns de pessoas criminosas e sem escrúpulos. Há situações, também, em que as crianças se expõem de forma inapropriada e acabam sofrendo *bullying* virtual, com fotos íntimas publicadas na Internet e todo tipo de ridicularização, o que gera enorme transtorno emocional.

Por isso, além de toda a supervisão, estabeleça um relacionamento de confiança com seu filho, em que haja interação livre de medos. Oriente-o e compartilhe casos que você conhece, mesmo que ele se assuste. É bom que seu filho tenha medo desse tipo de coisa, porque o receio o impedirá de ir além do que é conveniente.

Além desses perigos, a Internet pode ser também um canal de transmissão de toda uma gama de valores que podem estar em desacordo com os princípios abraçados por sua família. Diante disso, a resolução deve ser objetiva: posicione-se com autoridade, explique seu ponto de vista, exponha os fundamentos em que acredita e faça valer as regras estabelecidas. Talvez seu filho reaja e tente manipulá-lo de alguma forma para conseguir o que quer. Mas não se deixe impressionar, nem ceda. Afirmo que sempre é melhor que seu filho chore agora, por um posicionamento firme seu, do que vê-lo chorar por ter "quebrado a cara" em decorrência de algo que você, como pai, poderia ter evitado.

A resolução deve ser objetiva: posicione-se com autoridade, explique seu ponto de vista, exponha os fundamentos em que acredita e faça valer as regras estabelecidas.

Dialogue e estabeleça regras. Se há discordância, tente negociar e chegar a um acordo, sempre dentro daquilo que você entende que é o melhor para o seu filho. Se, mesmo assim, não houver concordância, então recorra à proibição. A sua palavra tem de prevalecer, acima de qualquer birra.

A Internet sem nenhum tipo de controle, horário, rotina e supervisão pode acabar viciando a criança em somente um tipo de entretenimento. Jogos *on-line*, redes sociais, vídeos, *sites* e mensagens instantâneas roubam o tempo que deveria ser dedicado a conversas com os pais e os amigos, a leitura de livros, a brincadeiras ao ar livre e atividades esportivas. Numa rotina, tudo deve ser contemplado: a hora de tomar café, fazer as refeições, de brincar no quintal ou no *play*, assistir à televisão, navegar na Internet, passar tempo com papai e mamãe e as demais atividades. Já vi crianças fazerem a refeição na frente de uma tela e os pais não tomarem nenhuma atitude, o que é totalmente errado, pois o tempo da família deve ser exclusivo.

Há muitos absurdos, também, em relação ao uso do *smartphone*. É inaceitável que as pessoas façam refeições com o celular na mão, sem dialogar entre si. É igualmente desrespeitoso que um aluno entre em sala de aula com o celular em punho, sem prestar atenção ao professor e ao que está sendo ensinado. Em muitos casos, as crianças não copiam mais as lições, mas tiram fotos da matéria escrita na lousa. Sou totalmente contra isso e creio que as escolas devem tomar decisões radicais para proibir o uso do celular em sala de aula.

Se hoje eu estivesse à frente de uma turma, faria uma caixinha bonitinha, toda enfeitada, e a posicionaria na entrada da sala de aula. Ao entrar, as crianças deveriam deixar o aparelho dentro do recipiente. Essa seria uma forma criativa de estimular o engajamento e a participação da criança no mundo real, na comunicação interpessoal e na dinâmica escolar. Fato é que, em virtude de tantos aplicativos e distrações, ninguém conversa com ninguém. Há um isolamento latente do ser humano, que vive enganado pensando que tem seis mil amigos no mundo inteiro, mas permanece sozinho, sem conviver de fato com nenhum deles. A interação virtual é muito impessoal, não há o toque, não há a troca de olhares, não há o relacionamento do ser humano com o outro ser humano, tão fundamental para nossa saúde emocional.

Por fim, vale ressaltar que a Internet e todas as tecnologias do mundo moderno podem ser extremamente benéficas. É como uma faca, bastante útil no dia a dia, mas, se manuseada de qualquer forma, pode causar sérios ferimentos. Nesse sentido, os pais devem orientar os filhos para que desfrutem de tudo de positivo que a modernidade tem a oferecer, tomando todo o cuidado, porém, para não se machucarem.

> **Em poucas palavras**
> - Imponha limites para o uso da Internet.
> - Estabeleça uma rotina diária, que contemple tempo para as novas tecnologias, como a Internet.
> - Supervisione seu filho enquanto ele estiver *on-line*.
> - Não dê total liberdade de acesso à Internet para os seus filhos. Espere que tenham idade suficiente para entender os riscos reais que uma navegação descuidada pode causar.
> - Determine regras claras para o uso da Internet e do *smartphone* em casa.

Atitude correta

Sempre digo aos pais para colocarem o computador na sala, no escritório ou em um lugar que seja acessível a toda a família, tendo em vista a supervisão e o controle do uso da Internet. Em determinada família, os pais seguiram minha orientação e começaram a procurar junto com os seus filhos jogos que envolvessem todos da casa. A iniciativa foi extremamente positiva, pois integrou todos e evitou que os filhos ficassem isolados e com a impressão de que estavam sendo vigiados. O mais importante de tudo é que a família tinha momentos no final do dia, depois de todas as atividades do trabalho e da escola, em que eles se juntavam em volta do computador e todos brincavam, juntos, em um momento de descontração e união familiar.

Atitude errada

Certa vez, orientei uma mãe a não deixar o computador no quarto da filha, mas ela permitiu que a garota permanecesse com um *notebook*. Em pouco tempo, a menina começou um namoro virtual. No começo, o "romance" estava bem tranquilo e amigável, o que fez a mãe relaxar em sua supervisão. Com o tempo, porém, o menino começou a pedir atitudes mais "ousadas": que a garota ficasse sem roupa, tirasse fotografias e outras ações inadequadas à sua idade — que a mãe jamais aprovaria. Certo dia, a menina dormiu com o computador ligado, e a mãe acabou descobrindo tudo. Só então decidiu tirar o computador do quarto. Todavia, a dor de cabeça e a exposição indevida da filha poderiam ter sido evitadas se ela tão somente tivesse se preocupado em não permitir que a filha tivesse o acesso à Internet sem supervisão, sozinha, no quarto.

Como lidar com a influência do cônjuge discordante

A discordância entre cônjuges é muito comum, uma vez que cada pessoa é diferente e tem ideias próprias, uma história individual e um modo exclusivo de ver as coisas. Por essa razão, antes mesmo que o filho nasça, é importante que pai e mãe conversem bastante sobre a educação e as experiências que tiveram desde a infância dentro do seio familiar. O repertório que cada um adquiriu ao longo da vida certamente influenciará na forma como lidarão com a criação do filho. A menos que entrem em acordo acerca do que será aplicado no dia a dia, desentendimentos no que tange à postura de cada um certamente vão acontecer.

Se você está enfrentando crises por não concordar com a forma como o cônjuge ensina seu filho, o primeiro passo é investir tempo em uma conversa sincera, que ajudará ambos a entender melhor a formação familiar de cada um e abrirá as portas para que, juntos, descubram um meio de equilibrar a visão de mundo dos dois. Assim, será mais fácil definir os rumos da educação dos filhos e os mecanismos que utilizarão para construir neles um caráter forte e sadio.

Preparar-se bem antes de ter um filho é algo muito importante. O casal tem chances de organizar a agenda e preparar-se emocional e financeiramente. Quando um casal se organiza, só tem a ganhar, e os filhos serão os beneficiários imediatos dessa preparação. Todavia, essa não é a realidade em muitos lares. São vários os casos de garotas solteiras grávidas, que precisam lidar com a responsabilidade de cuidar de uma criança; ou pais adolescentes, que carregam a tarefa de sustentar um lar.

Quando a chegada de um filho é indesejada, em geral causa irritação e descontentamento. É um contexto totalmente novo, que os pais precisarão enfrentar. Preparados ou não, pai e mãe têm perto de nove meses para estabelecer as regras de conduta a serem adotadas, que serão fundamentais para a educação do filho que está para nascer.

Observe que discordâncias excepcionais do dia a dia, e não corriqueiras, podem ser tratadas com mais maleabilidade. Se, por exemplo, o pai quer que a filhinha use calça comprida, mas a mãe prefere saia; ou o pai não quer que ela use batom, mas a mãe ama maquiagem e quer que a filha se maquie, não é necessário fazer estardalhaço nem tempestade em copo d'água. Basta chegar a um acordo de forma simples e cordial.

Casais que vivem em discordância na frente das crianças transmitem a elas uma mensagem negativa, pois desacordos geralmente precedem discussões. Animosidade, gritos, acusações e qualquer tipo de agressão verbal trazem problemas emocionais dos pequenos, que se sentem machucados, pois não entendem por que papai e mamãe estão brigando. Para a criança, o mundo deve ser harmonioso e os pais, os seus heróis, devem conviver em paz. O que passa disso é extremamente injusto e incompreensível para ela. Os pequenos amam os pais do mesmo jeito, sem preferências, e não estão preparados psicologicamente para raciocinar sobre as causas de uma discussão. Em sua mente, pai e mãe devem estar bem, felizes e unidos. Portanto, tome o cuidado para não ficar discutindo diante de seu filho.

Observe que discordâncias excepcionais do dia a dia, e não corriqueiras, podem ser tratadas com mais maleabilidade.

Conversem a sós, no quarto, de preferência, longe das crianças, de maneira amigável. Isso exigirá maturidade de sua parte e da de seu cônjuge. Lembre-se que para entrar em acordo com outra pessoa é necessário abrir mão de algo. Os dois lados precisam exercitar a flexibilidade para chegar a um meio-termo que seja aceitável a ambos. É interessante pensar nisso da perspectiva cristã do casamento, segundo a qual marido e mulher já não são duas pessoas, mas uma. E é sobre essa união, essa unicidade, que os dois constroem o lar e mantêm a família em harmonia. Sejam um não só na intimidade, mas nas ideias e na forma de lidar com os filhos e de estabelecer objetivos para o lar de vocês.

Marido e mulher que trabalham em equipe evitam muitas tensões no dia a dia, pois conseguem conjugar forças, opiniões e estratégias, tendo a harmonia da casa como alvo comum. Independentemente do assunto — pode ser um novo investimento a ser feito, o brinquedo a comprar, a resolução de um mal-entendido ou a avaliação de como estão levando a vida —, sugiro que o casal escolha um momento tranquilo, só para os dois. Creio que essa é, sem dúvida, a melhor forma de resolver as demandas do dia a dia. Experimente fazer isso depois que as crianças forem para a escola ou quando já estiverem dormindo. Aproveite esse tempo também para investir em seu relacionamento, valorizando o seu cônjuge e fazendo-o sentir-se especial.

Quando tudo já estiver conversado e acordado entre si, não discutam ou briguem na frente dos filhos, o que traz um clima de estabilidade e de paz para todos. Se a criança presencia uma discussão na qual o pai opina *A* e a mãe opina *B*, vai preferir, obviamente, o lado que mais lhe convier. Por exemplo: a criança quer chupar uma bala antes da refeição, mas a mãe nega, enquanto o pai permite. Para que lado ela vai se inclinar? Claro que para o daquele que a autoriza a fazer o que deseja, porque a vontade dele coincide com a dela. Isso gera uma separação bastante tênue, que, com tempo e frequência, pode influenciar na preferência da criança por um ou por outro, pelo pai ou pela mãe — algo que jamais deveria ocorrer.

Acertar os ponteiros e ter iniciativa para conversar com o cônjuge sobre tudo o que faz parte do dia a dia implica em domínio próprio, virtude que precisa ser desenvolvida e fortalecida ao longo da vida a dois. Além disso, exige maturidade. Deixar os ânimos esfriarem e esperar o tempo certo para conversar não é fácil, mas, com a prática, com esforço e dedicação, ambos optarão por assumir essa postura, de forma natural, pois bons dividendos começarão a ser colhidos na qualidade de vida e na harmonia do casal.

> *Acertar os ponteiros e ter iniciativa para conversar com o cônjuge sobre tudo o que faz parte do dia a dia implica em domínio próprio, virtude que precisa ser desenvolvida e fortalecida ao longo da vida a dois.*

Isso não quer dizer que a criança nunca vá presenciar uma ocasião em que os pais não concordam entre si. Não vamos ser radicais. Discordar, ter opiniões diferentes e trocar pontos de vista é salutar e faz parte de todo relacionamento interpessoal. O que trato aqui é de eventualidades em que a discrepância de opiniões gera tensões, brigas e mal-estar no ambiente familiar, pois isso, sim, afeta a criança.

Se o seu cônjuge não colabora e não consegue se controlar, altera o tom de voz e já parte para a briga, é importante que você se controle, para evitar uma discussão na frente dos filhos. Pode ter certeza de que essa é a atitude mais correta. Não é porque o outro não se controla que você também não vai se controlar. Sua atitude deve ser mais nobre. Portanto, mantenha a compostura, chame seu cônjuge ao lado e converse, com educação, no sentido de acertar as diferenças. Sua assertividade, serenidade e firmeza certamente alcançarão bons resultados.

Se o contexto do atrito for muito delicado ou envolver algum vício, falha de caráter ou quebra de princípios e valores morais, talvez seja conveniente procurar ajuda especializada ou consultar uma terceira pessoa para pedir orientação. Um psicólogo, conselheiro, pastor ou profissional que tenha autoridade para lidar com a situação pode ser de grande ajuda. É esperado que o cônjuge causador do problema mude de postura.

Calar e engolir tudo de forma passiva e irresponsável é ruim, pois o sentimento de frustração fica guardado e pode gerar amargura, desejo de vingança e rancor. Muitos cônjuges, principalmente as mulheres, aceitam o problema do outro como fato consumado, não buscam formas para mudar o quadro, deixam a situação à deriva, e a família acaba por afundar no caos. Não faça isso. Se o seu cônjuge tem algum desvio de conduta, busque ajuda para ele, para você e para seus filhos.

Mesmo que o foco da discussão entre vocês não envolva nada muito sério, não assuma uma atitude passiva. Seja transparente e diga-lhe como se sente. Ponha tudo para fora. Isso evitará que a frustração se instale, e, quando guardada e alimentada por muito tempo, ela pode gerar depressão e perda do equilíbrio emocional ou até causar doenças *somáticas*, em que há diversos sintomas, mas não existe um estado clínico claro. Por essa razão, vale repetir: converse, exponha seus sentimentos, entre em acordo e siga fazendo o seu melhor. Busque ajuda médica ou de outros especialistas ou conselheiros se for o caso.

Reconhecer, arrepender-se e confessar

Às vezes, o mau comportamento do cônjuge pode causar algum mau hábito em seu filho. Se for o caso, não se desespere, pois isso tem solução e pode ser amenizado. Principalmente quando a criança é pequena, suas lembranças são mais tênues e passíveis de modificação. Se o seu filho presenciou uma cena de agressão e hostilidade entre seu cônjuge e você, por exemplo, reconheça o erro, acalme-o e peça-lhe desculpas pelo mau comportamento. Isso fará bem para o estado emocional da criança.

Com essa atitude, ela verá a postura adequada dos pais ao admitir que erraram e trataram de consertar o problema. Tal postura não tira a autoridade de vocês; apenas mostra que todos são humanos e passíveis de erro. Assim, não deixem uma situação negativa sem remédio: *assumam o erro, arrependam-se e peçam perdão*. A atitude dos pais é o referencial de comportamento para o filho. E a honestidade, sem dúvida, é uma boa referência.

Se, por acaso, você perceber que errou de alguma forma — o que é muito provável que ocorra, já que é um ser humano —, não tenha receio de dirigir-se ao seu filho e pedir-lhe perdão. Se você reconhece, se arrepende e pede desculpas por uma ação ou palavra errada, seu filho vai aprender a fazer o mesmo. Ele não vai assimilar essa postura apenas porque você fala, mas porque o vê fazendo isso. O seu exemplo é muito mais didático e muito mais importante do que qualquer discurso.

Reconhecer o erro, arrepender-se e pedir perdão é, inclusive, o que Jesus nos ensina a fazer em sua Palavra. Esse é o caminho para uma vida de paz e harmonia, sobretudo no seio familiar. Quanta dor de cabeça e quantas separações seriam evitadas se uma das partes fosse mais maleável e reconhecesse os seus erros? Perceba o que diz a sabedoria da Bíblia sobre essa dinâmica: "Quem esconde os seus pecados não prospera, mas quem os confessa e os abandona encontra misericórdia" (Pv 28.13); "Se afirmarmos que estamos sem pecado, enganamos a nós mesmos, e a verdade não está em nós. Se confessarmos os nossos pecados, ele é fiel e justo para perdoar os nossos pecados e nos purificar de toda injustiça" (1Jo 1.8-9).

Se você quer transmitir valores e princípios cristãos para o seu filho, recomendo que viva diariamente aquilo que as Escrituras propõem. Se você errou, arrependa-se e conserte a situação. Por mais que esteja chateado com seu cônjuge, nunca ponha seu filho contra ele. Essa atitude é muito prejudicial para a família como um todo. De fato, a Bíblia diz que um reino dividido não prospera (Mc 3.24), o que é totalmente verdade no que se refere a uma família. Se você semear discórdia e partidarismo entre os seus, estará se colocando contra seu lar. As consequências negativas não são imediatas, mas acontecem no longo prazo, com o surgimento de problemas de comportamento, obediência e hostilidade em relação ao pai e à mãe, entre outros. Sabendo disso, tome muito cuidado com sua atitude. Jamais fira o valor da figura materna ou paterna aos olhos de seu filho. Lembre-se de que, para ele, vocês são heróis — e é importante que permaneçam assim.

Pais separados

Casos em que os pais se separam tendem a ser mais complicados, uma vez que a separação geralmente acontece em um contexto de discordância. Muitos desses casos envolvem violência, agressões verbais e até físicas, ameaças e uma série de atitudes que pioram a situação. O problema diante desse quadro é que a criança fica exposta e acaba recebendo um tremendo impacto negativo ao vivenciar uma experiência dessa natureza. É um horror para ela.

Tenho ouvido muitos pais separados dizerem que isso não é verdade, que a criança tira de letra e consegue entender e superar a situação. Não concordo com isso. A criança pode desenvolver mecanismos de superação, mas não é possível supor que seja fácil para ela ver papai e mamãe brigando e decidindo viver em casas separadas. É difícil perder o convívio diário e ter de dividir a semana entre a casa de um e de outro.

Quando vivem a realidade de um divórcio, pai e mãe precisam entender que a criança não tem nada a ver com a decisão deles e que, juntos ou separados, o filho é parte dos dois. Por isso, e visando ao bem da criança, devem entrar em um acordo de paz e fazer todo o esforço possível para se portarem harmoniosamente diante dela.

Nessa nova dinâmica, um dos dois não terá a convivência diária, mas isso não quer dizer que não poderá ser participativo — salvo quando houver alguma restrição legal. É preciso estar presente, saber como o filho está, telefonar, se manifestar, acompanhar o que acontece, inteirar-se do aprendizado etc. Em suma, participar de maneira amigável.

É muito comum acontecer que um dos pais separados não abra mão de suas posições e queira ensinar a criança de acordo com elas. Parece até uma reação de birra. O pai fala X e a mãe fala Y; na casa do pai, dorme tarde; na casa da mãe, dorme cedo; e assim por diante. Isso é extremamente prejudicial à criança, que fica perdida, sem um parâmetro nem um referencial sólido, e começa a ter questionamentos, como: "É o papai ou a mamãe que está com a razão?"; "O que é o melhor?"; "O que eu devo fazer?"; "Qual é a direção?"; "Meu pai fala que é para a direita e minha mãe fala que é para a esquerda. Eu gostaria de ir para a direita; então meu pai é bonzinho e minha mãe é uma chata". Esse é o tipo de pensamento que brota na mente dos pequenos.

Se você é divorciado, converse com o pai ou a mãe da criança e decidam-se por ter cautela e maturidade para levar adiante essa situação familiar. Seu filho não pode ficar entre vocês dois, sendo puxado de um lado para o outro. Querer impor sua forma de ensinar em direção oposta ao que seu filho vivencia habitualmente com seu ex é sinal de imaturidade e revela o mais alto grau de egoísmo, pois é seu filho quem está sendo vítima de tudo isso.

Não é raro que, no caso de uma separação, entrem em cena padrasto ou madrasta. Mesmo que não sejam pais biológicos, eles fazem parte do dia a dia dos enteados e possuem responsabilidade no que se refere à criação deles. É preciso que haja uma conversa com os pais biológicos, para que definam as posturas que serão tomadas no convívio familiar.

Isso é importante para que haja harmonia nesse relacionamento e alinhamento nos discursos que tomarão diante das crianças. Os pais biológicos devem conversar com os filhos, deixando bem claro que o padrasto ou a madrasta tem um papel em sua educação, que precisa ser respeitado. Essa orientação tem de ficar bem clara para evitar rebeldia e respostas do tipo: "Você não é meu pai"; "Você não é minha mãe"; "Você não manda em mim". Padrasto e madrasta precisam ter os direitos e a autoridade necessários para educá-los, já que convivem com os enteados. Isso dependerá da concordância entre os pais. Esse arranjo é indispensável para a saúde da família.

Mesmo separados, pai e mãe devem se esforçar para viver em harmonia e amizade. Os problemas que o casal teve e que levaram à separação precisam ser deixados para trás, perdoados, entendidos, capitalizados para amadurecimento. É fundamental que haja maturidade e sentimento de colaboração visando sempre ao bem-estar de todos, principalmente dos filhos. A separação já é algo traumático para a criança e não há razão para piorar tudo só porque os adultos não têm disposição para se entender mutuamente.

Se você, por exemplo, separou-se por algum motivo e vê seu cônjuge com outra pessoa, não seja o tipo que torce para que o novo relacionamento dele não dê certo; isso não é bom de nenhuma forma! Torça para que dê certo, sim, a fim de que seu filho seja beneficiado e que haja paz entre todos. Você sempre será o pai ou a mãe da criança, e isso não vai mudar. Não deixe que a situação o afaste mais, por estar sempre criando tensão e estresse; pelo contrário, busque formas de fazer que seu filho veja em você, em seu cônjuge, na madrasta ou no padrasto pessoas maduras e que agem em conjunto para que o bem e a felicidade prevaleçam. Essa, sim, é uma atitude positiva.

Os adultos podem ser dois, três, mas a criança é uma só e precisa ser orientada em uma direção única. A Bíblia diz que as crianças são como flechas na aljava do arqueiro. Todo arqueiro sabe que tem de orientar a flecha para uma direção e atirá-la sabendo qual é o alvo a ser alcançado. Se ele dispara a flecha de qualquer forma, ela segue em uma direção indesejada e muita gente pode se machucar.

Jamais fale mal de seu ex-cônjuge e não tenha uma atitude crítica, condenatória ou humilhante em relação a ele diante das crianças. Esses erros têm efeitos negativos tremendos e são inaceitáveis. Na verdade, essa é uma atitude que deveríamos evitar em relação a qualquer pessoa que faça parte de nosso círculo familiar ou de amizades. Falar mal dos outros não leva a nada, não colabora, não resolve problemas; muito pelo contrário, cria mal-estar e tribulação. Se você não tem nada de positivo para falar, não fale nada. Cada indivíduo é único e precisamos respeitá-lo. Se puder ajudá-lo a melhorar, ótimo; se não, permaneça em paz, fique de boca fechada, comporte-se eticamente e aja com responsabilidade.

No caso de você ser cristão e casado com alguém que possui convicções religiosas diferentes das suas, mas deseja transmitir seus valores para os filhos do casal sem causar uma guerra dentro de casa, lembre-se de que a melhor forma de fazer isso é viver tais valores e mostrar por meio de ações como é ser cristão. Demonstre na prática o que são perdão, paciência, tolerância, perseverança e lealdade, entre outras virtudes. Porte-se de forma digna e honesta e desenvolva traços de caráter que sejam apreciados por Deus. Seu cônjuge logo perceberá que há alguma coisa diferente em você e isso não vai causar uma guerra dentro de casa, pois são todas atitudes pacificadoras, que não produzem atrito. De fato, o caráter cristão é tranquilo, conciliador, e isso, com certeza, vai atraí-lo a Jesus.

Caso os dois sejam cristãos, mas com posturas doutrinárias ou denominacionais diferentes, o diálogo entre vocês sempre será o melhor caminho. Busquem formas de equilibrar a situação. Para isso, é importante que haja flexibilidade entre as duas partes. Feito isso, assumam o acordo e vivam em paz.

Em poucas palavras

- Tenha autocontrole no momento de trocar ideias e não discuta na frente dos filhos.
- Acerte as diferenças com seu cônjuge longe das crianças.
- Repare qualquer mau testemunho que der ao seu filho por meio dos passos: reconhecer, arrepender-se e confessar.
- Nunca critique ou fale mal de seu cônjuge para o filho.
- Preste atenção ao seu testemunho de vida, pois isso vai influenciar seu filho mais do que qualquer conversa.

Atitude correta

Conheci um garoto cujos pais se separaram quando ele tinha 2 anos. Seu pai refez a vida e construiu uma nova família. Já a mãe, que ficou com ele, sempre se manteve machucada, ressentida e sem liberar perdão, por isso sempre falava barbaridades do ex--marido para todos. O ex-marido não revidou, mas permaneceu presente na vida do filho e orou sem cessar. Teve uma postura coerente e firme, com o intuito de manter um ambiente equilibrado para a criança. Hoje, o menino é adolescente, entendeu a realidade da separação dos pais, os perdoou pelos eventuais erros e não apresentou sequelas em seu desenvolvimento emocional e pessoal.

Atitude errada

O casal estava separado e tinha uma filha de 7 anos. O divórcio aconteceu em meio a brigas e discussões. Os dois tinham opiniões opostas sobre a educação da menina e não entravam em um acordo. A mãe estabeleceu rotina, regras e supervisão sobre o que a filha poderia assistir na televisão, às quais a menina obedecia sem grandes problemas. No entanto, em seus finais de semana com o pai, todas as regras eram quebradas, inclusive com a permissão para assistir a novelas, algo de que a mãe não gostava. Como consequência, a menina passou a considerar o pai o máximo e a mãe uma chata. Embora pareça que o pai "ganhou" uma possível situação de birra, o fato é que a garota foi extremamente prejudicada em seu processo de formação de conduta e caráter, já que via inconsistência na atitude daquele que deveria ser exemplo para ela.

Conclusão

Meu objetivo com este livro é ajudar papais e mamães a observar mais de perto os diversos agentes externos que influenciam a educação dos filhos. Avós, parentes, amigos, escola, mídias diversas, moda, publicidade, Internet e muitos outros interagem com as crianças com frequência e muitas vezes as põem em contato com ideias e conceitos diferentes daqueles que vivenciamos dentro das paredes de casa. A vida é assim. Todos — inclusive você — fazem parte dessa dinâmica. O importante é saber como agir para direcionar os filhos às escolhas corretas, a uma vida tranquila e a um futuro promissor. Essa é uma sublime missão para os pais.

Criar um ser humano não é tarefa fácil — exige preparação, atenção, renúncia e disposição. Aqueles que se dispõem a fazer isso, no entanto, sabem que, apesar de todas as dificuldades, tal tarefa é também permeada de contentamento e satisfação. Não há nada mais gratificante para um pai ou uma mãe do que ver o filho crescendo de forma saudável, digna e feliz. Com o intuito de alcançar esse objetivo, os dois devem trabalhar em conjunto.

O diálogo é a grande chave em todas as situações. "Quem não se comunica, se trumbica", já dizia o apresentador Chacrinha em meados do século passado, e nisso ele tinha razão. Diante de qualquer problema, seja com quem for, tenha como primeira atitude o estabelecimento de uma conversa amigável e respeitosa. Guardar rancores, criar contendas ou manter um estado de insatisfação não ajudarão em nada; ao contrário, só fazem piorar a situação. Seja assertivo e fale a verdade, com tato, responsabilidade e firmeza.

Não negligencie a importância da preparação e da organização. Planeje a criação de seu filho e a rotina de casa. Isso fará bem a você e a todos da família. Defina os rumos da educação que a criança receberá, os valores e os princípios que nortearão sua conduta. Isso influenciará na formação do caráter dela e na forma como vai lidar com as diferentes situações, demandas e oportunidades do dia a dia.

Seja maduro. Muitas vezes, para o bem de seu filho, você precisará ser mais firme ao implementar suas convicções ou mais maleável para evitar possíveis confusões. Sua atitude é o maior referencial de conduta para a criança. Ela não será honesta, colaboradora, pontual, leal, verdadeira, paciente e amável, entre tantas outras qualidades, se não vir esses traços de personalidade em você. Se você é cristão e quer que seu filho siga seus passos na fé, porte-se como tal e dê bom testemunho.

> *Planeje a criação de seu filho e a rotina de casa. Isso fará bem a você e a todos da família.*

Amadurecimento requer tempo e disposição para passar pelo processo; afinal, nenhum fruto já nasce maduro. É preciso crescer e se fortificar, dia após dia. É fato que ninguém nasce sabendo; portanto, esteja disposto a aprender com os diversos contextos que surgirão. E lembre-se sempre de que na escola da vida de seu filho, vocês, os pais, são os principais professores. Assim como todo bom professor faz seu plano de aula, entre em linha com o seu cônjuge acerca daquilo que vocês querem para as crianças.

Se você não tem uma base, um fundamento de onde tirar conceitos para educá-lo adequadamente, eu lhe sugiro a Bíblia, porque nela você encontrará valores e princípios verdadeiros, eternos, sólidos e confiáveis, que lhe darão segurança. Posso dizer que são inúmeras as histórias felizes de famílias que cresceram sob os parâmetros desse verdadeiro manual para a vida.

Que Deus o capacite e lhe dê sabedoria, equilíbrio e bom senso para que você possa escolher aquilo que é melhor para o seu filho. E o que é melhor para o seu filho com certeza vem de Deus.

Notas

Capítulo 1
[1] Gary CHAPMAN, *Como reinventar o casamento quando os filhos nascem*. São Paulo: Mundo Cristão, 2011.

Capítulo 2
[1] Citado em Zig ZIGLAR, *Automotivação, alta performance*. São Paulo: Mundo Cristão, 2008.
[2] Lei 13.185, de 6 de novembro de 2015. Disponível em: <http://www.planalto.gov.br/ccivil_03/_Ato2015-2018/2015/Lei/L13185.htm>. Acesso em: 19 de fev. de 2016.
[3] Disponível em: <http://portalsaude.saude.gov.br/index.php/cidadao/principal/agencia-saude/noticias-anteriores-agencia-saude/1958-abuso-sexual-e-o-segundo-br-maior-tipo-de-violencia >. Acesso em: 19 de fev. de 2016.
[4] Gary CHAPMAN, *As cinco linguagens do amor dos adolescentes*. São Paulo: Mundo Cristão, 2006.

Capítulo 3
[1] Disponível em: <http://www.pedagogia.com.br/linhasPedagogicas.php>. Acesso em: 19 de fev. de 2016.

Capítulo 4
[1] Greeg COOTSONA, *Aprenda a dizer não*. São Paulo: Mundo Cristão, 2011.

Capítulo 5
[1] Disponível em: <http://www.cca.org.mx/profesores/cursos/cep21/modulo_2/Jean_Piaget.htm#lkj>. Acesso em: 21 de fev. de 2016.

Sobre a autora

A educadora Cris Poli tornou-se conhecida em todo o país quando foi selecionada para comandar a versão brasileira do programa de televisão *Supernanny*. Casada há 48 anos, é mãe de três filhos e avó de cinco netos. Argentina de nascimento, formou-se em Educação em seu país natal. Mudou-se há quarenta anos para o Brasil, onde cursou licenciatura em Letras, Inglês-Português, na Universidade de São Paulo. Autora de oito livros, atua como palestrante em instituições de ensino e empresas. É membro da Igreja Cristã do Morumbi, em São Paulo (SP).

Conheça outras obras de

Cris Poli

- Pais responsáveis educam juntos
- Pais admiráveis educam pelo exemplo
- S.O.S. dos pais

Veja mais em:

Anotações

Anotações

Anotações

Compartilhe suas impressões de leitura escrevendo para:
opiniao-do-leitor@mundocristao.com.br
Acesse nosso *site:* www.mundocristao.com.br

Equipe MC: Maurício Zágari (editor)
Cleiton Oliveira
Fernanda Rosa
Heda Lopes
Natália Custódio
Diagramação: Luciana Di Iorio
Preparação: Cristina Fernandes
Revisão: Josemar de Souza Pinto
Gráfica: Assahi
Fonte: Minion Pro
Papel: Pólen Soft 70 g/m² (miolo)
Cartão 250 g/m² (capa)